꽁지를 위한 방법서설

꿍지를 위한 방법서설

내일은 달라질 수 있을까?

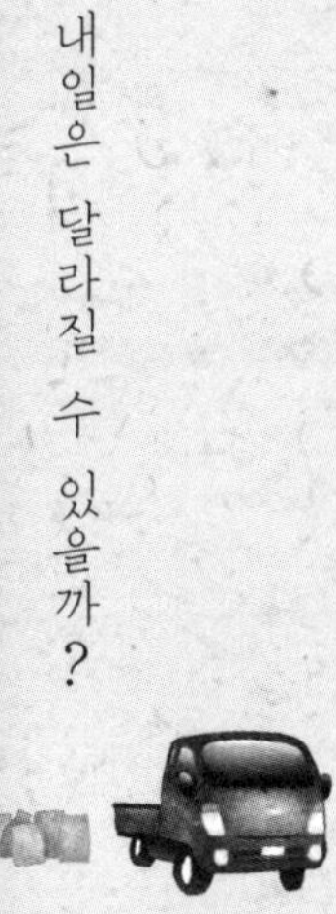

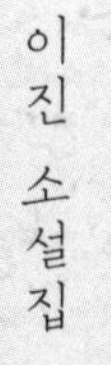

이진 소설집

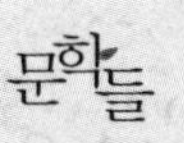

|차례|

날마다 작아지는 사나이

강남단씨는 180cm 키에 80kg의 몸무게를 자랑하던 체격 좋은 청년이었다. 10년 전만 하더라도 말이다. 그는 대학을 졸업하자마자 '인터뷰 코리아' 라는 유명 잡지사의 취재 기자로 입사하여 주변의 부러움을 샀다.

하지만 입사 첫날부터 별다른 교육도 받지 않은 채 곧바로 인터뷰 현장에 투입되는 바람에 혹시 회사의 명예를 실추시킬까 봐 몹시 애를 먹었다. 이 잡지사의 인터뷰 요청을 받지 못한 유명인사는 진정한 명사가 아니라는, 해당 업계 자타공인 1위 '인터뷰 코리아' 의 아우라와 그의 당당한 체격이 신입사원으로서의 어리숙함을 그나마 상쇄해 주었다.

강남단씨는 취재 기자로 성공할 계획이었으므로 신입사원 연수나 인턴 과정 등을 경험시켜 주지 않은 회사를 원망하지 않았다. 업무를 가르쳐 줄 만한 선배나 상사가 없다는 사실에도 별다른 불평을 하지 않았다.

인쇄 매체의 하향세가 경영적자로 이어지는 세태에서 '인터뷰 코리아' 역시 비껴 서지 못한 상황이었다. 급여 수준 높은 중견급 기자들을 권고사직 시키거나 다른 직종으로 옮기도록 종용하여 대개의 부서가 경력 5년 미만의 직원 한두 명으로 운영되고 있었다. 영특한 그는 이런 사실을 입사 즉시 이해했다.

하여 그는 지난 이십여 년 동안의 기사들을 총체적으로 분석하고 인터뷰 대상자별 맞춤형 질문을 개발하는 게 자신의 선결과제임을 깨달았다.

강남단씨는 자신의 깨달음이 실제 인터뷰 현장과 연결되어야 한다고 믿었다. 그랬으므로 인터뷰 대상자의 자랑과 흥분에 최대한의 경의를 표하기 위해 수많은 종류의 감탄사와 풍부한 표정을 동반한 끄덕임의 고갯짓을 연습했다.

또한 자신의 가치관과 상반되는 주장을 듣더라도 평가나 반대의견 제시 따위의 자기주장이 튀어나오지 않도록 절제력 훈련 프로그램에도 적극 참여하였다. 그 덕에 강남단씨 특유의 공감 미소까지 개발하기에 이르렀다.

기사문을 작성할 때는 인터뷰 당시의 메모나 녹음 내용을 외울 정도로 되풀이하여 읽고 들으면서 대상자와 합일되는 극치의 순간까지 자신을 밀고 나갔다.

강남단씨는 회사 발전에 기여도 높은 직원이란 평가도 받고 싶었다. 하여 회사가 지정한 유명인 이외에도 향후 명사가 될 가능성이 높은 인재를 개발하는 데 최선을 다했다. 그의 노력이 3개월쯤 지나면서 회사는 놀라운 사실을 발견했다. 유명해지기를 간절히 바라는 예비 명사들의 인터뷰 기사가 잡지 매출의 주요 변수라는 걸 말이다. 예비 유명 인사들은 자기 기사가 실린 잡지를 싹쓸이하다시피 했다. 회사는 더욱 많은 업무를 주는 것으로 그의 충심에 보답했다.

그 무렵 동료 직원 하나가 남의 뒷이야기만, 그것도 과장되고 미화된 이야기만 만들어 내는 데 싫증이 났다며, 회사를 그만두었다. 그러자 회사는 그의 일까지 강남단씨에게 몰아주었다. 몸은 힘들었지만 자신의 입지를 더욱 공고히 할 절호의 기회라 여겨 그는 업무량 배가를 기꺼이 받아들였다.

강남단씨에겐 이름만으로도 대한민국을 뒤흔드는 유명 연예인이나 운동선수, 그리고 실세 정치인들이 마치 수험생처럼 고분고분하게 구는 순간을 즐기는 여유마저 생겨났다. 때로 그들을 칭찬하고 그들을 광고하기 위해서만 자신의 재능이 소비된다는 생각에 머리가 지끈거릴 때도 있었으나, 독한 술 몇 잔이면 쓸데없는 요동이 가라앉곤 했다.

강남단씨가 자신의 몸에서 이상 증후를 발견한 건 입사 후 2

년쯤 지난 무렵이었다. 그동안도 보는 사람마다 그에게 키가 줄어든 것 같다고, 살이 빠진 것 같다고 인사말처럼 건네곤 했지만 그다지 신경 쓰지 않았다.

"일부러 다이어트도 하는 판에 몸무게가 4kg쯤 줄어든 거야 축하할 일이지 걱정할 일이 아니잖아?"

그는 스스로에게 그렇게 말해 주었다. 바지 밑단이 자꾸 바닥에 쓸리는 것 역시 살이 빠지면서 허리사이즈가 줄어든 탓이려니 하며 가볍게 넘겼다. 국민건강보험공단의 강력한 권고에 떠밀려 종합검진을 받으러 가지 않았다면, 키 또한 몸무게와 똑같은 수치로 줄어 있다는 걸 알아채는 데 더 많은 시간이 걸렸을 것이다.

강남단씨는 176cm라는 수치를 도저히 인정할 수 없었다. 아직 30대도 되지 않았고 결혼도 하지 않은 마당에 키가 줄다니, 그것도 4cm씩이나! 그는 담당 직원의 눈이 의심스러워 주변 사람들을 소리쳐 불러다 몇 번이고 확인을 요청했다. 심지어는 기계의 오작동 가능성까지 제기하며 요란을 떨었다. 몸의 이상이 움직일 수 없는 객관적 사실로 인정되자 몹시 낙담한 그는 어떤 이상한 병에 걸렸을지 모른다는 생각에 수많은 검사를 받았다.

강남단씨의 신체 기능에는 아무런 문제가 없었다. 혈압도 콜레스테롤 수치도 정상이었고 골밀도나 근육량도 지극히 정상이었다. 장기능 이상도 발견되지 않았으며 호르몬 간 불균형이나 성기능적인 문제도 나타나지 않았다. 또한 당뇨나 단백뇨로 의심되는 어떤 결과치도 나오지 않았다.

"스트레스성으로 오는 일시적 근육 수축 현상일 수 있어요. 몸과 마음을 내려놓고 느긋하게 휴식을 취하셔야겠습니다. 근육량을 늘릴 수 있도록 1주일에 세 번 이상 꾸준히 근력 운동도 하시구요."

의사는 근이완제와 피로회복제, 약간의 수면 성분이 섞인 영양제 등을 처방해 주었다.

강남단씨는 자신의 왜소해진 체격을 최대한 커버하기 위해 키높이 구두를 사들였다. 치수가 커진 옷은 내의를 두어 겹 더 겹쳐 입는 걸로 수선비를 아꼈다. 또 자신의 이상 증후가 더 이상 진전되지 않길 간절히 바랐으므로 의사의 충고대로 생활습관마저도 바꾸었다.

늦잠을 피로회복제로 여겼던 기존의 가치관을 버리고 새벽부터 헬스클럽엘 들락거렸다. 대충 거르던 아침식사를 철저히 챙기는 한편, 일과 시간 내내 1시간 간격으로 스트레칭을 했다. 술이나 담배, 커피 따위 기호식품은 철천지원수로 삼아 딱 끊어버렸다. 집에서는 물론 사무실에서도 반경 5m 이내에 그것들이 눈에 띄지 않도록 세심한 주의까지 기울였다.

강남단씨는 몸의 이상 징후를 잊으려고 일에 더욱 매달렸다.

인터뷰 내용 중 무엇을 부각시키고 무엇을 배제할지 결정하는 것으로 기사문 작성의 기본을 삼았지만, 그렇게 과감히 재단하기 이전에 단계 하나를 더 설정했다. 독자의 주의를 확 끌어당길 키워드로 어떤 단어를 사용할 것인지, 선택된 단어들은 어떤 순서로 배치할 것인지 고심하는 단계를.

수능 때도 거들떠보지 않았던 전자사전이 새삼 그의 주의를 끌었다. 영어, 프랑스어, 중국어, 아랍어에 이르기까지 발음이 편하면서도 독자에게 지적 만족감을 줄 수 있는 새로운 단어들이 넘치는 시대였다. 시인 백석도 러시아 여자 이름 나타샤를, 향수를 쓴 정지용도 카페 프란스니 보헤미안 넥타이니 하는, 당시로선 생소한 외국어를 사용하여 독자들을 이국의 정취로 설레게 하지 않았던가? 기자라면 모름지기 모국어 전도사가 되어야 한다던 지도교수의 충고는 학창 시절의 유물로 남겨 두기로 했다. 그의 기사는 더욱 세련되어 갔고 인터뷰 당사자들의 만족감은 높아졌으며, 스마트폰과 인터넷의 위력에도 잡지 판매 부수는 상승세를 유지했다.

강남단씨의 이상 증후는 그러나 멈추지 않고 계속되었다. 첫 발견 이후 1년이 더 지나자 그의 키는 3cm 더 줄어 173cm가 되었고 몸무게 역시 똑같은 수치로 줄어 73kg이 되었다. 단 한 번도 거르지 않고 의사의 처방약을 먹었으며 더 자주 헬스클럽엘 들락거리고 단백질과 지방 성분이 풍부한 식단을 하루 다섯 끼로

늘리기까지 했는데도, 키나 몸무게가 줄어드는 속도는 오히려 더 빨라졌다. 그가 노력하는 모든 것과 반비례 관계를 이루기로 작정이라도 한 듯했다.

입사 이후 5년이 지난 시점에는 162cm 키에 62kg 몸무게로까지 줄어들었다. 깔창을 아무리 두텁게 깔아도 그의 시야는 점점 낮아졌고 아무리 속옷을 겹쳐 입어도 옷이 헐렁하여 매번 새로 구입해야 했다.

강남단씨의 담당의사는 급기야 사춘기 아이들이 먹는다는 일명 '키 크는 약'까지 처방하기에 이르렀다. 하지만 그 역시 별 효험이 없었다. 몹시 울적해진 그는 한방 치료에 대해 지극히 부정적인 담당의사 몰래 이미 닫혀 버린 성장판도 자극할 수 있다는 침을 맞으러 다녔다. 녹용에다 기린의 목뼈와 쑥쑥 자라는 칡 순까지를 혼합하여 다렸다는 성장촉진제 약물도 복용했다.

그러는 한편으로 옛이야기 속에 나오는 효자 효녀들의 황당무계한 자해 행위가, 그러니까 자기 손가락을 물어뜯어 피를 흘려 넣거나 허벅지 살을 베 먹이거나 하여 막 숨넘어가는 노모를 살려냈다는 등의 고사가, 자신과 같은 특수한 병에 해당되는 것인지도 모른다는 기대에 한 가닥 희망을 품고 자신의 몸에 칼을 대보기도 했다. 하지만 살갗을 에는 칼날의 감촉은 몹시 직접적이고 불쾌한 데다 소름끼치기까지 했다. 그런 속도로 몸이 쫄아 들다 한 개 점이 되어 영영 사라질지 모른다는 두려움마저 잊게 할 만큼이나. 그는 결국 자신을 위한 자해행위를 포기할 수밖에 없었다.

강남단씨는 자신의 업무를 더 이상 수행할 수 없는 지경에 이르렀다. 입사 10년 만에 121cm 키에 21kg 몸무게로 내려앉아 초등학교 저학년생이나 다를 바 없는 체격이 된 그를 취재 기자로 취급하려는 명사가 더는 없었다. 그래선지 그에 관한 회사의 기대 또한 급격히 떨어지고 말았다.

그는 자신의 담당의사 인터뷰를 마지막으로 회사를 떠나기로 결심했다. 그의 이상 증후를 초창기에 스트레스성으로 진단했던 의사는, 세계적 권위를 자랑하는 의학 학술지에 '후천성 신체 왜소화 증후군에 관한 증례보고' 라는 긴 제목의 논문을 발표하여 희귀성 질환에 관한 국제적인 관심을 끌어모았다. 그 결과 의사는 대한민국의 유명인사 대열에 합류해 있었다.

강남단씨에게는 그의 이상 징후에 관한 원인 분석이나 의학적 소견 등을 진료 기간 동안 별달리 설명한 적 없던 의사였다. 그런데 인터뷰 과정에서는 매우 자세하고 진지하게 말문을 이어 갔다.

"소수 인원에 한정된 임상관찰에 의거한 것이라 현재로썬 정확한 결론을 말씀드리기 어렵습니다만,"

의사는 인터뷰 첫머리에 그런 전제를 먼저 깔았다. 단 한 명이라는 걸 피차 아는 마당에 소수 인원이라고 과장하는 의사에게 약간의 반감이 치솟았지만, 강남단씨는 평소 훈련한 절제력의 힘으로 입꼬리를 위로 끌어올리는 공감 미소를 무너뜨리지 않았다. 의사는 강남단씨가 기자로서의 품위를 지키는 데 자신감을 얻은 듯 막힘없이 말을 이어 갔다.

"후천성 신체 왜소화 증후군의 가장 큰 원인은 여러 면에서 자기보다 훨씬 더 큰 사람을 만나 위축되는 경험이 무한 반복되는 과정에서 열등감이나 질투심 등이 덧쌓이는 동안 발현된 이상심리일 가능성이 아주 높습니다. 심리적 불안정이 신체에 직접 영향을 미친 매우 희귀한 난치성 질병이지요. 자아상실이 핵심 화두가 된 현대세계의 암울한 반영이라고나 할까요?"

강남단씨는 의사가 자기 이야기를 하고 있다는 걸 순간 잊고서, 평소처럼 '아, 네!', '그렇군요.' 따위의 감탄사를 연신 내뱉으며 메모에 열을 올렸다.

"지난 10년의 연구와 그동안의 치료과정에서 빚어진 수많은 시행착오를 바탕으로 정신-신체 사이의 네트워크 결합 지점을 찾아 치료제 개발에 남은 생을 바칠 각오입니다."

다소 비장해 뵈는 의사의 결의를 대하고선, 한 분야에서 최고봉에 오른 전문가의 겸손하기 그지없는 도전에 탄복하여 흥분된 어조로 존경심을 고백하기까지 했다. 인터뷰가 끝나자 의사는 좋은 기사를 부탁한다며 자신의 명함을 건네는 것과 동시에 손을 내밀어 악수를 청했다. 강남단씨는 황송한 마음으로 그의 손을 맞잡으며 위대한 의사와 인터뷰를 하게 된 행운에 감사한다는 등의 인사말을 건넸다.

강남단씨가 몸에 밴 직업의식을 최대한 발휘하여 작성한 마지막 인터뷰 기사는 희귀성 난치병 환자와 그 가족들의 관심을 엄청나게 끌어모았다. 의사의 진료과목과 아무 상관없는 병을 앓는 환자들이 병원으로 몰려들어 북새통을 이뤘다. 하지만 기사에 오르내린 환자와 기사를 작성한 기자가 동일 인물임을 아는 사람은 없었다. 지금껏 그래왔듯 누구 하나 기사 작성자의 이름에 관심을 기울이지도 않았다.

강남단씨가 그동안 몸담았던 회사를 떠날 때, 그가 했던 일을 물려받게 된 후배가 그의 귀에 바짝 대고 꽤나 긴 작별인사를 했다.

"다음 호 밀착 취재 대상 1순위가 형님인 거 아시죠? 그 의사가 유명해진 바람에 세간의 관심이 형님에게 집중되고 있어요. 최첨단의 현대병에 걸린 남자, 국제적 명성을 얻은 의사의 특별관리 환자 1호, 형님 기사가 뜨자마자 그 환자가 도대체 누구냐고 우리 사무실로 문의전화가 빗발친 거 아시죠? 행여 딴 데다 먼저 얼굴 파시면 안 됩니다. 물론 그 기사를 작성한 해당 기자였다는 사실도 알려지면 안 되구요."

강남단씨가 의아해하며 왜냐고 묻자 후배가 낯빛을 구기며 대답했다. 다 아시면서…. 하지만 아무리 생각해 봐도 별로 떠오르는 게 없었다. 강남단씨는 더 이상 골치 아픈 문제를 생각하기 싫었으므로 지시적인 말투로 선배 겸 상사로서의 답사를 대신했다.

"인터뷰 제목은 날마다 작아지는 사나이라고 하게."

심하게 왜소한 체격에서는 결코 나올 법하지 않은 깊고 중후한 저음이 품위 있게 울려 퍼졌다. 바로 그 순간이었다. 그의 양쪽 발목뼈가 우두둑 소릴 내는 것 같았다. 눈높이가 약간 위로 올라가며 바지가 슬쩍 들린다는 느낌도 스쳤다. 크흣, 기분 탓이겠지. 그는 개그맨들이 항간에 퍼뜨린 우스갯소리를 흉내 내며 쓴웃음을 지었다. 그리고는 자기 몸체보다 커 보이는 짐 가방을 끌고 엘리베이터로 향했다.

자음 그리고 모음

다 끝났다!

이건 하나의 주문이다. 고통의 순간적인 단절, 가위 눌린 꿈에서의 해방. 끔찍한 현실은 신기루처럼 사라지고 소름끼치는 악몽은 파도처럼 부서진다. 마법의 주문치고 너무 평범하다 싶으면 자음을 모두 빼고 모음으로만 발음해 보라. 효과는 크게 다르지 않다. 어떻거나 지금 당장 여기에서 벗어나고 싶다면, 당신도 한번 외보시라.

아 으아아!

*

최고기온 기록이 연일 경신되고 있다. 사십 년만의 무더위니 폭염으로 사망자 발생이니 하는 뉴스가 모든 매체의 헤드라인을 장식했다. 아침부터 머리가 지끈거린다. 한증막 같은 한여름 저녁 일곱 시의 컨테이너 박스가 날 기다리는 수요일이라 그런가? 두 대의 선풍기가 뜨거운 바람을 쏟아내는 하남 산단 8번로의 강의실이 벌써부터 아른거려서?

이번 주말부터 2주 동안의 방학이 예정되어 있다는 데에 그나마 위로를 받는다. 장성과 함평의 다문화교육지원센터 오전 반 학생들은 종강이라며 환호성을 내지를 것이다. 대부분 주부인 그들은 여름 더위가 시작됐다 싶은 6월 말부터 결석이 잦아왔던 터다.

엘비스에겐 도무지 연락이 되지 않는다. '지금 거신 전화는 개인 사정에 의해 정지된 상태입니다.' 여자 목소리를 흉내 낸 기계음이 똑같은 말투와 똑같은 억양으로 몇 주째 수신 거부 의사를 밝히고 있다. UBR테크의 관리부 직원은 외려 내게 물어왔다.

"그러잖아도 선생님께 여쭤 볼 참이었는데. 여러 날 무단결근이라 혹시 알고 계신 게 뭐 있나 하고."

엘비스에 관해 알고 있는 것이라, 문득 당황스러웠다. 국적, 나이, 이름, 성별, 그리고 그가 다니는 회사의 이름 외에 아는 게 뭐였을까? 느닷없이 날 찾아온 그날 밤에 그가 주절거린 몇 마디 말? 단 둘이서 보낸 한 시간여 동안 팽팽히 오가던 긴장감 이외에 무엇이 있었더라?

그날 밤, 자정이 다 되어 가는 꽤나 늦은 시간에 현관문을 가

만가만 두드리는 소리가 났다. 막 샤워를 마치고 나오던 참이라 적잖이 당황스러웠다. 그냥 두면 제풀에 떠나가리란 생각과 누군지 확인해 보고 싶은 마음이 줄다리기를 했다. 노크 소리가 점점 커지더니 날 부르는 소리까지 들려왔다.

"선생니임!"

나지막한 남자 목소리였다. 선생님이라 부르는 걸로 보아 내게 한국어를 배우는 외국인 중 누군가임에 분명했다.

"문 좀 열어요. 잠시만요. 제발 부탁이에요!"

조심스럽고 차분한 음성, 외국인답지 않게 유려한 발음, 엘비스임에 분명했다. 수업시간마다 맨 앞자리에 앉아 사춘기 소년처럼 달뜬 얼굴로 내 움직임에 시선을 집중하던 필리핀 청년. 막상 수업이 끝나면 친구 제프의 등 뒤에서 어색한 웃음으로 작별인사를 대신하고는 총총히 도망치던 그였다. 그런 엘비스가 당돌하게도 집으로 찾아오다니…. 집 주소를 가르쳐 준 적이 없고, 빈 말로나마 따로 차 한 잔 나누잔 얘길 한 적도 없는데 말이다.

내겐 금지에 관한 나름의 규칙이 있었다. 외국인 노동자에게 휴대전화 번호 이외의 개인 정보는 실명을 포함하여 절대로 알려주지 않는다. 외국인 학생과 함께 식사를 하거나 차를 마시는 따위 개인적인 교류는 절대로 하지 않는다. 특히 결혼 이민 여성들에겐 수업 이외의 사적인 어떤 관심사도 절대로 표명하지 않는다.

열일곱 살의 그날 이후 어쩌면 내게 천성으로 굳어 버린 몇 가지 행동양식이 불합리하다는 걸 모르는 건 아니었다. 범인은 한국인이었고 그 필리핀 여자는 동정 받아 마땅한 피해자일 따름이었으니, 외국인을 향한 나의 신경증적인 방어태세는 사실 전도된 현상임에 분명했다. 게다가 내 직업은 아이러니하게도 외국인에게 한국어를 가르치는 교사가 아니던가?

어쨌건 그동안의 내 철칙에 비춰봤을 때 난데없는 엘비스의 방문은 당연히 무시해야 할 일이었다. 더욱이 나를 통하지 않고 집주소를 알아내 찾아왔다는 건 경계 특보 수준의 중대한 사안임에 분명했다. 그런데도 어떻게 할 것인지를 망설이고 있다니, 스스로에게 놀란 나는 그저 멍하니 서 있기만 했다. 얼마 동안이나 그러고 있었을까?

"안에 있는 거 다 알아요. 준!"

문 두드리는 소리가 커졌다. 준, 준! 외국인 학생들을 위한 수업시간용 별칭까지 불러 대기 시작했다. 문득 불안해졌다. 같은 복도를 쓰는 누군가가 문을 열고 내다볼 것만 같았다. 얼굴이 화끈거려 왔다. 마치 호객 행위에 열 올리는 노점상 아빠와 맞닥뜨린 사춘기 소녀처럼.

"기다려!"

의도하지 않았던 명령어가 굳게 닫힌 현관문을 타 넘고 튀어나갔다. 동시에 젖은 머리카락을 털며 바쁘게 옷을 꿰입기 시작했다. 축축한 살갗에 옷자락이 자꾸 감겨들었다.

"이 늦은 밤에 갑자기 나타나면 어떡해, 연락도 없이?"

걸쇠를 걸어 둔 채로 빠끔히 문을 열고서 물었다. 수업시간엔

좀처럼 쓸 일이 없는 '~해' 체의 말투가 힐난조로 터져 나왔다.

"미안해요."

몹시 풀 죽은 낯빛으로 그가 사과를 했다. 어떻게든 밀고 들어올 것 같던 좀 전의 기세는 간 곳이 없었다.

"너무 아파요!"

겨우 내뱉고선 그가 계단참에 털썩 주질러 앉았다. 마치 그 한 마디를 전하러 온 사람처럼 가쁜 숨을 몰아쉬며. 이상하게도 그런 엘비스가 비현실적으로 느껴졌다. 툭 건드리면 그대로 부서져 한 다발의 뼈로 쌓이거나 시퍼런 불꽃으로 타올라 한 줌 재로 화할 것만 같았다. 나도 모르게 걸쇠를 풀고 현관문을 열었다.

"어디가 아픈데?"

그가 격렬하게 고갤 내저었다. 그리고는 꺾어 세운 무릎 사이에다 얼굴을 파묻었다. 끄윽끄윽! 그의 목덜미가 파들거렸다. 소리로 전화되지 못한 채 안으로 말아 감기는 젊은 사내의 흐느낌…. 아무리 냉철하려 애써도 명치 끝에서부터 먹먹한 통증이 차올라 왔다.

"여기서 이러지 말고 들어가자. 커피 내려 줄게!"

금지에 관한 내 모든 철칙을 포기한 발언이 자연스럽게 흘러나왔다. 몇 겹으로 둘러친 방어 체계가 순간 작동을 멈췄다. 일어나, 들어가자구. 아이처럼 보채기까지 했다. 엘비스는 도무지 움직일 생각을 하지 않았다. 그대로 밤을 지새우기라도 할 것처럼 완강히 버티고 앉아 간간이 어깨를 들썩일 뿐이었다.

닿을 듯 말 듯, 멀지도 그렇다고 아주 가깝지도 않은 그와의 거리가 왜 문득 대수롭잖게 여겨졌는지 모른다. 양팔이 엘비스를 향해 뻗어나갔다. 그의 목덜미가, 그의 어깨가, 그리고 그의 등이 한 아름으로 폭 감싸 안아졌다. 상처 입은 한 마리 새의 할딱임이, 부러진 날개를 파득거리는 격렬한 떨림이, 그의 등줄기를 타고 내 젖가슴으로 훅 끼쳐 왔다.

"어딘가 돈을 더 주는 공장으로 옮겨갔겠죠. 쓸 만하다 싶게 가르쳐 놓으면 꼭 뒤통수를 친다니까요. 빌어먹을 깜둥이 새끼들!"

그날 밤의 풍경을 더듬느라 우물쭈물 하는 사이 UBR테크의 관리부 직원이 단정적인 말투로 덧붙였다. 외국인 노동자에 대한 왜곡과 인종 차별적 발언이야 우리 사이에 이미 양해된 게 아니냐는 듯 공범자적인 냉소까지 머금고서 말이다. 하지만 남자에게 동조해 줄 마음은 전혀 생겨나지 않았다.

"뭘 잘못 아신 거 같은데 동남아인은 우리와 같은 황인종이지 흑인이 아닙니다. 물론 흑인이라도 그런 식으로 말해선 안 되겠지만요."

남자가 눈알을 뒤룩거리며 불쾌한 빛을 숨기지 않았다. 그를 좀 더 당혹스럽게 만들고픈 못된 충동이 날 사로잡았다.

"한 가지 더 말씀드리자면 엘비스의 아버지가 한국인이라더군요. 그렇다면 엘비스 또한 한국인 아닌가요?"

뜨악한 표정의 남자를 모른 척 두고서 돌아 나왔다. 공장 정문을 나서면서야 남자와의 대화가 한국어교실 강사 재계약시 불이익으로 작용할 수도 있겠단 생각이 떠올랐다. 인권 의식이 각별하거나 외국인 노동자에 대한 특별한 애정 따위 있지도 않으면서 왜 그리 발끈했던 걸까? 엘비스의 신상에 관해 정확한 정보를 가진 것도 아니면서 왜 그런 식으로 남자를 약 올리고 싶었던 걸까?

*

컨테이너 교실은 언제나처럼 시끄럽다.

땀으로 번질거리는 얼굴들이 뜨거운 바람을 내뿜는 선풍기 주위에 둘러서서 입을 다물 줄 모른다. 하루 종일의 고된 작업에다 한국어 스트레스까지 겹쳐 잔뜩 힘들었을 걸 알기에, 자기 나라 말로 맘껏 떠들 수 있는 자유에 취한 그들을 서둘러 제지할 생각은 없다. 지난 1년 동안 매주 두 번씩 한국어 수업을 하면서 동급생 의식을 키워 온 그들이다. 내 나이 서른을 기준으로 위아래 10년 정도의 나이대가 섞인 데다, 국적도 제각각이고 소속 공장이나 담당 부서에 따라 하는 일도 서로 다르지만 어울림이 자연스럽다.

"잘들 지냈어요? 덥죠?"

모두들 급히 자기 자리로 가 앉으며 답례 인사를 건넨다.

"안녕하세요!"

엘비스의 자리는 여전히 비어 있다. 관리부 직원과의 면담 이후로도 석 주 가까이 날짜가 흘렀다. 누구도 엘비스의 행방에 대해 속 시원히 알려주지 않았다. 그의 룸메이트인 제프조차 아는 바 없다며 어깨를 으쓱해 보이는 게 고작이었다.

"엘비스한테선 여전히 소식 없어요?"

습관처럼 제프에게 질문을 던진다. 글쎄요, 어깨를 으쓱이며 매번 똑같은 대답을 해야 하는 제프로선 꽤나 성가실 터이다. 그럴 때마다 형사가 수배자의 친구를 하릴없이 심문하는 게 아니라는 심오한 이해가 몰려온다.

"아, 네! 크래봤자 펴룩!"

의외의 대답에 화들짝 놀란다. 눈이 휘둥그레진 날 놀리기라도 하듯 제프의 치열 고른 흰 이가 익살스럽게 웃는다. 그럴듯한 속담을 적절한 때에 잘 사용하지 않았냐는 듯 우쭐거리는 낯빛이기까지 하다. 픽! 헛웃음이 터진다. 매주 속담을 몇 개씩 알려주면서 그 뜻과 사용례를 들어 주고, 그에 어울리는 상황을 만들어 한 번씩 실습을 시킨 덕에 생긴 부작용이지 싶다.

"뛰어 봤자 벼룩! 속담을 쓰려면 제대로 써야지요. 그런데 이 속담과 내 질문에 어떤 관계가 있나요?"

"엘비스 아버치 찾아요. 한국에서. 크런 뜻, 아마…."

대부분의 조사를 생략한 채 더듬거리면서도 제프의 표정은 의기양양하다. 뭔가 새로운 소식을 들을 거란 기대감에 차 있던 내가 오히려 오리무중에 빠진다. '찾아요'가 찾으려고 한다는 목표지향 자체인지, 찾으러 다닌다는 현재진행의 표현인지, 이미 찾았다는 과거형 서술인지, 문득 알 수가 없다.

우리말의 시제 구분이 모호하다는 걸 새삼 통감한다. 외국인 학생들에게 존대어 다음으로 가르치기 어려운 게 바로 시제다. 완성된 문장의 대부분은 과거형이고, 거기에 현재와 과거 완료가 혼재한다. 담화 상황 당시의 표정, 제스처, 그리고 앞뒤로 연결되는 문맥 파악이 관건이라는 걸 설명해 주지만 그들은 쉽게 이해하지 못한다.

"엘비스 아버지 만나요. 나한테 편지해요."

몇 개의 문장이 추가되자 제프의 의도가 짐작된다. 엘비스가 한국인 아버질 찾겠다는 자기의 목적을 달성했고 그 사실을 알려 왔으니, 날더러 더는 걱정하지 말라는 그런 뜻임을. 그러니까 제프의 '찾아요, 만나요, 편지해요'는 과거형임이 분명하다. 퍼즐 조각이 맞춰질 듯도 하다. 그날, 내가 마지막으로 엘비스를 본 그날 밤….

하악하악!

전혀 예기치 않은 한순간이었다. 엘비스가 몸을 획 돌려 어깨를 거칠게 끌어당긴 것은. 갓 잡아 올린 생선 아가미에서나 뿜어져 나올 법한 빠르고 격정적인 음률로 가슴을 압박해 온 것은.

엘비스의 어깨를 뒤에서 감싸고 있던 나는 갑작스레 돌아선 그에게 얼결에 껴안기고 말았다. 그리고는 아무러한 저항도 못하고서 힘에 밀려 뒷걸음질하고 말았다. 현관문을 거쳐 싱크대를 지나 침대가 놓인 원룸 깊숙한 안쪽으로까지 그가 밀고 들어오도록 아무런 조처도 취하지 못했다. 입술이 그의 축축한 혓바닥으로 뒤덮이는 데도, 상체가 그의 팔에 떠받쳐진 채로 자꾸만 뒤로 꺾이는 데도, 그저 무방비 상태로 눈을 감고만 있었다. 그를 밀어내야 한다는 생각과는 달리 손가락 근육은 오히려 그의 뒷목을 끌어당기고 있었다. 불안감이, 딱 그만 정도의 설렘이 발목 언저리서부터 소르라니 피어올랐다.

"미, 미안해요. 선생님!"

그 순간, 모든 것이 그대로 멈추고 말았다. 엘비스가 선생님이라는 단어를 발음하는 찰나 블라우스 단추를 더듬던 그의 손가락도, 침대 시트 위로 비스듬히 무너져 얹히던 내 엉덩이도, 그의 가슴 저 깊은 곳에서 존재와 소멸 사이를 가로지르며 솟구치던 거친 숨소리도, 발목을 휘감아 오르던 이율배반적인 전율도 빠짐없이 모두. 엘비스의 목덜미에 걸쳐져 있던 팔에서 스르르 힘이 빠져나갔다. 반걸음쯤 그에게서 물러나 섰다. 땡땡하게 부풀던 젖꼭지가 탄력을 잃고 고개를 떨구었다. 그의 이마에 땀방울이 맺혔다.

침묵……,

그리고 또 침묵…….

"아 참, 커피 내려 준댔지? 잠깐만 기다려."

깜빡 졸다 깨난 이성이 갑작스레 휘몰아친 어색스러움을 수습하러 나섰다. 다섯 걸음도 안 되는 주방까지의 거리가 왜 그리도 아득하게 느껴졌는지…. 어쨌거나 식탁을 사이에 두고 엘비스와 멀어질 수 있다는 게 다행스러웠다.

또록 또로록! 영원의 바다에서 부서지는 포말의 비명 혹은 무한의 우주에서 미끄러지는 별똥별의 탄식, 커피 물 떨어지는 소릴 들으며 누군가의 시에서 봤음 직한 단어들을 떠올리는 사이 진한 커피향이 방 안을 가득 메웠다. 머리가 어질어질했다.

미안해요. 그가 똑같은 말을 반복했다.

"그 사람을 찾지 말 걸 그랬어요. 그 사람을 만나서는 안 되었는데…!"

엘비스의 까무잡잡한 볼에서 불현듯 눈물방울 하나가 툭 떨어졌다. 연이어 굵은 눈물방울들이 투두둑, 앞다투어 굴러떨어졌다. 그렁그렁한 눈망울이 이윽히 날 쳐다보았다. 꼭 깨문 입술 사이로 수없이 많은 말들이 으깨져 나갔다.

"갈게요."

쫓겨난 말들의 총합은 참으로 어이없는 것이었다. 커피 잔을 다 비우지도 않고서 그가 벌떡 일어섰다. 그렇게나 갑작스레 밀고 들어온 온갖 정황에 대해, 미안하다는 한마디로 슬쩍 발을 빼는데 대해, 만나지 말았어야 했던 '그 사람'이 누구인지에 대해서조차 한 마디 설명도 해 주지 않은 채로 말이다. 어지럽게 널린 그릇들을 치우는 대신 흰 종이 한 장으로 덮어 버리는 그의 무성의에 화가 치밀었다.

"엘비스 너…, 니가 뭔데?"

그가 뒤돌아보았다. 강렬한 눈빛이 날 쏘아보았다. 화난 듯 억울한 듯 뭐든 걸리는 족족 끝장을 내버리고 싶은 듯도 한, 매우 복잡한 감정들이 뒤얽힌 그런 눈빛이. 채 가시지 않은 촉촉한 물기가 아니었다면 그의 눈동자가 벌겋게 타오르고 있다고 생각했을지 모른다.

"노바디! 낫싱!"

서늘한 저음이었다.

"그래요. 잘 됐군요."

축하의 말과는 달리 씁쓸함이 앞선다. '엘비스는 왜 내가 아닌 제프에게?', '내가 엘비스에게 조금은 더 특별해야지 않나?' 하는 따위 어이없는 질문이 떠오른다. 서둘러 교과서를 펼친다.

"오늘 우리가 공부할 단원은 '여름휴가를 떠나요!' 입니다. 어때요, 제목만 들어도 신나지 않아요?"

목소리 톤을 한껏 높이고 애써 즐거운 표정을 짓는다. 들뜬 물음표에 대한 답은 당연히 공감의 느낌표로 돌아올 것이다.

"신나지 않아요."

부정 질문에 대한 부정 대답으로 대화 자체를 무화시키는 마침표에 순간 당황한다. 개별적 경험을 끄집어내 현재로 연결시킨 다음 한국어 문장화의 단계로 이어 가려던 계획이 순식간에 어긋난다.

"우리 콩장 휴가 안 해요. 날마타 날마타 일, 또 일해요."

이구동성으로 모두들 소리를 높여 오히려 하소연이다. 하긴 한국어 수업을 위해 한 주에 두 번씩이나 야근을 면제해 주는 공장이 그리 많진 않다. 거기에 언감생심 여름휴가라니! 곤란한 상황에선 한국어 교사 6년 차의 노련함을 앞세워 재빨리 도망치는 게 상수다. 잘못 말려들면 그들의 개인사가 일으키는 회오리 속으로 빨려들게 된다. 난 한국어 교사지 상담사나 인권운동가가 아니다. 내 상처만으로도 내겐 이미 충분하다.

한국인 남편에게 매 맞는 필리핀 여자와 그의 어린 아들을 가엾이 여겨 고향으로 가는 비행기 표를 구해 준 어느 선교단체는 내 어머니가 살해되는 동안 눈 한 번 깜짝하지 않았다. 순식간에 절단 난 내 삶에 관해 단 한마디의 사죄도 하지 않았다. 자신들의 자부심 넘치는 선의가 누군가의 생명을 처참히 빼앗고, 어느 가정의 일상을 갈가리 찢어발겨 복원 불능의 상태로 빠뜨렸다는 사실에 어떤 죄의식도 느끼지 않았고 한마디의 용서도 구하지 않았다. 내가 정작 원망해야 하는 상대는 무기징역형을 살고 있는 그 남자가 아닌지도 모른다. 그야 어떻거나….

"음, 그러니깐 고향에서 보냈던 여름휴가를 떠올려 봐요."

"우리 칩, 항상 여름이에요. 날마다 캉에서 놀라요. 수영, 이러케!"

메콩강의 지류가 흐르는 베트남 남부 빈롱이 고향이라는 탄반리엠은 허공을 강물 삼아 개구리헤엄을 쳐 보이며 장난스럽게 웃는다. 한국식의 여름휴가 따위 없어도 맘만 먹으면 날마다가 휴가인 고향이 자랑스럽단 빛이 역력하다. 덩달아 너도나도 한마디씩 끼어든다. 고향에 돌아가면 오토바이를 사서 고비사막을 횡단

할 거라며, 여름휴가완 아무 상관없는 계획에 눈을 빛내는 몽골 청년 비르지얍. 여자 친구가 생기면 손잡고 충장로의 밤거리를 걷겠다는 소박한 꿈을 결코 소박하지 않은 큰 소리로 떠들어대는 중국 산동성 출신의 노총각 추이저우.

교과서 본문 읽기로 분위기를 가라앉힌다. 가족과 함께 해수욕장에 갈 계획인 브라운 씨는 부산의 해운대와 강릉의 경포대 중 어디로 갈까 고민 중이다. 해변 타악기 페스티벌에 참가할 계획인 실로폰 연주자 미리 씨가 대천 해수욕장으로 브라운 씨 가족을 초청한다. 낮은 탄성이 교실 바닥으로 깔린다. 부러움, 혹은 그리움을 잔뜩 싣고서.

*

엘비스가 한국어 교실에 처음 나타난 건 3월 중순 무렵이었다.

"안녕하세요? 엘비스 킴입니다."

유순해 보이는 자그마한 체격의 청년이 제프의 등 뒤에서 수줍게 고갤 숙였다. 훅 끼쳐 오는 쉿가루 냄새에 나도 모르게 인상을 찌푸렸다. 어찌된 일인지 그 냄새에만큼은 도무지 적응이 되지 않았다. 면 생리대를 삶을 때나 남 직한 피비린내와 표백제 냄새, 거기에 생선 비린내까지 섞인 듯한 뭐라 설명할 수 없는 불온하고도 섬뜩한 냄새였다.

"죄송합니다. 미처 샤워할 시간이 없어서…."

그가 얼굴을 붉히며 어쩔 줄 몰라했다. 자신이 땀내를 풍기기 때문이라고 짐작한 모양이었다. 자동차나 중장비의 부속품을 만드는 공장의 외국인 노동자들에게 한국어를 가르치는 선생으로서는 참으로 적절치 못한 표정관리였다. 서둘러 웃음기를 피워 올리며 다소 과장된 명랑한 목소리로 물었다.

"반가워요. 발음이 아주 좋네요. 한국어 공부를 많이 했나 봐요?"

그가 어깨를 으쓱하며 손바닥을 편 채로 양손을 가슴께까지 들어올렸다. 딱히 동의할 수 없는 사안에 대해 글쎄, 그게 그러니까, 꼭 그렇다기보다는 등등의 의미를 실어 영어권 친구들이 습관적으로 해 보이는 제스처였다.

"한국인이니까요."

의외의 대답이었다. 한국에 대한 애정을 그런 식으로 표현한 건지 정확한 사실을 말하는 건지, 혹은 장난인지 알 수 없었다. 그럼에도 나는 그의 발음이나 억양에서 모국어 화자다운 자연스런 구석이 있나, 그 순간 점검하고 있었다. 그의 친구 제프가 나와 눈을 마주치지 않으려 고개를 숙이며 설핏 웃었다. 뭔가를 알고 있지만 내 궁금증과 호기심엔 관여하지 않겠다는 의도로 읽혔다.

"아버지를 찾으러 왔어요."

엘비스가 머뭇거리지 않고 덧붙였다. 순간 멍해졌다. 어떻게 이해해야 할지, 어떤 응답을 해 줘야 할지 떠오르지 않았다. 해외 유학이니 영어 연수니 하는 등의 명목으로 외국을 떠돌던 대한민국 청년들이, 동남아 여러 나라에서 무책임한 짓을 하고 도망쳐 오는 경우가 종종 있단 얘길 듣긴 했지만, 그의 경우엔 해당되지 않을 듯싶었다. 스물두 살 청년의 아버지라면 마흔을 훌쩍 넘겼을 테니 말이다. 잠깐 사이 어색한 침묵이 흘렀다.

찾고 싶은 아버지가 있다는 건, 그리고 그 아버지가 한국인이라는 건 엘비스의 자긍심이었다.

"더러운 코피노 새끼!"

막 코너킥을 하려던 엘비스에게 누군가가 조롱 섞인 욕설을 퍼부었다. 엘비스의 정확하고 강한 슛을 무력화시키려는 상대 팀의 심리전임에 분명했다. 하지만 주말 오후에 짬을 내어 부서 간 친선경기를 벌이는 중에 내뱉을 말은 아닌 데다, 욕설을 한 이가 한국인이라는 점에서 더욱 문제적이었다. 이글거리는 운동장 바닥에 늦은 오후의 빛살이 수천 개의 바늘로 내리꽂혔다.

"왜, 띠꺼워? 그럼 필리안이라 불러 주랴?"

경기 종료 시간과 한국어 수업 시작이 맞물려 있던 탓으로, 하필 그 시간 공장 마당으로 들어서던 내게도 한국인 노동자의 낯뜨거운 는질거림이 들려왔다. 퍽 퍼벅! 한순간 몸을 날린 엘비스가 상대에게 주먹을 날렸다.

"난 말야, 광주에서 태어났고 1학년까지 요 아래 가안 초등학교엘 다녔어. 마닐라 라살 대학 휴학생이고, 너 같은 녀석한테 욕먹을 일 한 적 없어."

평소 유순하게만 보이던 작은 체구의 엘비스가 아니었다. 수줍은 산업연수생이기만 한 것도 아니었다. 웅성거리는 공장 마당으로 좀 더 가까이 다가갔다.

"무슨 얼어 죽을 놈의 대학? 필리핀 창녀 새끼 주제에!"

구경꾼 중 누군가의 입에서 비아냥거림이 터져 나왔다. 스멀스멀 번져 가는 쑤군거림, 음험한 웃음소리, 그리고 누군가의 선동이 이어졌다.

"깜둥이 주제에 잘난 척은! 저런 새낀 죽여야 돼."

누군가가 엘비스에게 발길질을 하려고 나섰다. 어디서 그런 용기가 솟구쳤는지 모르겠다. 들고 있던 수업 교재를 그 사내에게로 힘껏 집어던졌다. 그만둬! 소리까지 지르면서.

"아니, 이 기집애가?"

반사적으로 뒤돌아선 사내가 욕설을 퍼붓자, 내게서 한국어 수업을 듣는 외국인 노동자들이 순식간에 내 주변을 에워쌌다. 자칫 한국인과 외국인 사이의 패싸움으로 번질 일촉즉발의 위기였다. 부정(父情)을 향한 엘비스의 순수한 열망이 몇몇 한국인의 비뚤어진 자부심으로 인해 상처 입지 않기를, 그 당시 내가 바랐던가?

아니, 아니었다. 난 바로 그 순간 전혀 다른 시간, 다른 장소에가 있었다. 그것도 몇 개의 장소와 시간이 아무렇게나 뒤섞인 무질서하고 어슴푸레한 꿈속 같은 곳으로.

– 미안, 엄마가 너랑 다니지 말래. 재수 옴 붙는다고.

건조한 목소리가 굵은 나무 둥치에 부딪혀 아무렇게나 튕겨져 나왔다. 날 둘러싸고 있던 여러 개의 운동화가 발자국 소릴 울리며 순식간에 멀어져 갔다.

– 쟤! 칼 맞아 죽은 학원 강사 딸이래. 어쩐지 으스스하게 생겼더라.

귓전을 어지럽히는 속닥거림이 닝닝거리는 벌들처럼 떼 지어 지나갔다. 수많은 손가락들이 옆구리며 등짝이며 어깻죽지를 마구 찔러 대는 것 같았다.

– 최선을 다했지만 기적은 일어나지 않았습니다. 삼가 고인의 명복을 빕니다.

하늘색 수술복 차림의 의사가 선언문을 낭독하듯 나지막한 음성으로 읊조렸다. 엄마를 덮어 씌운 하얀 시트 위로 동그랗고 검붉은 핏방울들이 무늬 져 어룽거렸다. 더러는 서로의 경계선을 허물고 섞여 무한대의 기호로 변해가면서.

이젠 모두 끝난 일이다. 다 끝났다!

아 으아아!

주문의 효과는 신속했다. 엄마의 장례식을 마치고 등교한 내게 줄줄이 절교를 선언하던 친구들도, 복도에서 운동장에서 급식실에서 날 비껴 가던 수많은 동급생들의 쑤군거림도, 흰 시트 위를 수놓던 검붉은 핏자국도 순식간에 자취를 감췄다. 그리고 공장 마당 역시 어느새 평온을 회복하고 있었다.

"괜찮으세요? 이 친구들이 선생님께 결례를 했군요."

UBR테크의 공장장이었다. 하남 산단 입주 기업 중 처음으로 한국어 교실을 자체 운영하면서 인근의 다른 공장 외국인 노동자들에게까지 문을 열어 줌으로써 공단 전체의 인권 수준을 한 단계 끌어올렸다고 칭송 받는 초로의 사내. 그가 물의를 일으킨 한국인 노동자들에게 사과를 시키는 한편으로 흙먼지 묻은 내 수업 교재를 수습해다 주었다.

*

수업이 어떻게 끝났는지 모른다. 교사의 집중력이 수업의 질을 결정한다는 게 맞는 말이라면 오늘의 수업은 엉망이었다고 할 수밖에 없다. 충분히 몰입해 주지 못한 데 대한 미안함을 실어 교실을 나서는 학생들에게 악수를 청한다.

"선생님, 너무 힘들어요. 팔리 가 쉬어요!"

정확하지 않은 발음으로 외려 내게 걱정의 말을 건네는 그들의 작별 인사가 왠지 뭉클하다. 방학이 끝날 때까지 두 주 가량은 잊고 지낼, 그들이 몰고 다니는 비릿한 쇠 냄새며 살피듬 같은 톱밥이며 끈적거리는 스티로폼 알갱이들이 새삼 정겹다.

"방학 잘 보내요!"

아무래도 충실하지 못했던 수업에 대해 반성하는 마음으로 큰 소리로 외쳐 주었다. 대부분 24시간 기계가 돌아가는 공장의 노동자들에게, 취업비자가 만료되면 가차 없이 떠나야 하는 그들에게 방학이 무슨 의미일까마는.

"선생님! 이거."

제프가 끝까지 남아 어정거리더니 흰 봉투 하나를 내민다. 엘비스가 보낸 편지 속에 내게 전해 달라는 부탁과 함께 동봉되어 있었다면서. 서둘러 펼쳐 본다.

Dear lovely June!

이 편지를 끝으로 다시는 한국어를 쓰지 않으려고 합니다.

그날 밤, 얼마나 용기를 냈는지 모릅니다.

하지만 끝내 말하지 못했습니다.

당신 앞에서 난 없는 사람, 있어서는 안 되는 사람이니까요.

내 어머닌 당신께 용서를 청한다고, 당신을 위해 기도하겠다고 말합니다.

하지만 얼마나 쓸모없고 무의미한 일인지를 난 압니다.

아무것도 당신에게 다른 과거를 선물해 줄 수 없습니다.

찾아 나서지 않았더라면 좋았을, 당신께 용서를 청할 자격이 없는,

내 한국인 아버지의 이름은 김문일입니다.

당신을 사랑합니다.

그러므로 난 당신을 사랑하면 안 됩니다.

Good bye, forever!

엘비스의 한국인 아버지 이름 김·문·일, 소리 내 읽어 본다. 중요한 단어에 밑줄을 긋듯 음미하면서 또박또박….

흡!

뇌를 꺼내 박박 문질러서 흐르는 강물에 휘이휘이 헹궈 냈음에도 얼룩처럼 남아 내 일상에 불쑥불쑥 침입하던 이름. 해마다 5월이면, 넝쿨장미 핏빛 꽃송이들이 흐드러지는 5월이면, 묵은 체증처럼 명치끝을 치받고 올라오는 끔찍한 이름. 머릿속에 막 떠오른 그 이름의 주인이 엘비스의 아버지라고?

아내가 어린 아들을 데리고 필리핀 고향으로 도망친 게 자신의 무능과 무자비한 폭력 때문이 아니라 가정 파괴를 일삼는 선교 단체 탓이라며, 모든 기독교인에게 복수하리라 다짐했다면서 눈을 희번덕이던, 자신이 무슨 짓을 했는지 도대체 이해하지 못하던 그 어리석고 뻔뻔하고 고집스럽던 남자.

"마누라 년과 아들놈을 슬쩍 빼돌린 게 그것들입지요. 불알 찬 사내놈이 그만 복수도 못 한답니까요?"

"피고인의 아내가 아들을 데리고 귀국한 것은 살해 위협이 느껴질 만큼의 지속적인 가정폭력 때문이었습니다. 더구나 그들을 도와준 건 '아시아는 하나' 라는 이름의 개신교 인권단체였습니다.

피해자와는 아무런 연관성이 없다 그 말입니다. 인정하십니까?"

"뭔 말씀을 하시남요? 연관이 있습지요."

"도대체 무슨 근거로 그런 단정을 하는 겁니까?"

"그 여자는 십자 표식이 달린 염주 같은 걸 들고 있었습니다요. 마누라 년도 틈만 나면 그걸 들고 씨부리며 대들곤 했습지요. 가정 파괴를 일삼는 교회 연놈들이 쥐어 준 부적인 게 틀림없습니다요. 그걸 보고도 눈에 불이 안 붙었다믄 사내놈이 아닙지요. 다 없애 버릴 겁니다요."

"그건 천주교회 신자들이 기도할 때 사용하는 묵주입니다. 피해자나 당신 아내나 천주교 신자니까 그들이 묵주를 들고 기도하는 건 당연한 일상이었습니다. 피고인은 단순히 기도를 하러 성당에 들렀을 뿐인 피해자를, 자신의 가정사에 아무러한 영향을 끼친 적도 없는 사람을 무참히 살해한 것입니다. 인정하십니까?"

"그 여자는 내 마누라 년과 내통한 게 분명합니다요. 죽어도 싸다 그 말입지요. 그 와중에도 그년한테 뭐라 써 보내는 걸 제 두 눈으로 똑똑히 봤다 그 말입니다요."

"그건 피해자가 자기 딸에게 보낸 겁니다. 그 절박한 상황에서도 자신의 마지막을 직감하고 사랑한다고 작별인사를 한 거란 말입니다."

엄마의 마지막 메시지를 난 기억하고 있다. 또 쓸데없는 잔소리구나, 생각하며 받은 즉시 지워 버린 걸 지금까지 후회하며, 평소의 엄마완 다르게 띄어쓰기도 구두점도 없이 보냈던, 아무러한 맥락이 없던 그 한 문장을.

'밥거르지말고사랑해'

"나 귀국하면 레이테 가요. 엘비스가 초대했어요. 쎄부에서 페리 타고 가요."

너무도 명랑한 제프의 목소리에 화들짝 놀란다. 내가 편지를 다 읽도록, 그리고 질정 없이 떠오른 생각에 마음을 뺏기고 있는 동안, 언제 말을 붙일까 기회를 엿보고 있었나 보다. 제프가 한쪽 눈을 찡긋거린다. 산업연수 기간이 아직 1년이나 남아 있는 걸 뻔히 아는데 낼 모레라도 당장 귀국할 사람처럼 싱글벙글이다.

"같이 갈래요?"

느닷없는 질문까지 던진다. 그러더니 불쑥 촌지라도 건네는 학부형처럼 쑥스런 낯빛을 지으며 뭔가를 쥐어 준다. 두 번쯤 접은 메모지다. 이게 뭐야? 미처 질문이 끝나기도 전에 제프가 도망치듯 교실 문밖으로 사라진다. 아무렇게나 휘갈긴 영문 필기체 글씨다. 필리핀 레이테 섬의 어느 집 주소다. 하남 산단 8번로의 습습한 어둠이 순식간에 제프의 그림자를 삼킨다.

*

가안동 성당은 깊은 연못처럼 고즈넉하다. 주변 아파트와 상가 건물들에서 쏟아지는 휘황한 불빛 따위에 주눅 들지 않으려 저 홀로 짙은 어둠을 뒤집어쓰고 있다. 맥주 캔 하날 사 들고서 교육관 앞 소나무 아래 벤치로 가 앉는다. 그날 이후 다시는 찾지 않으리라 작정했던 곳, 왜 갑자기 차를 꺾어 들어왔는지 모르겠다.

그러고 보니 성모상이 있던 자리가 바뀌었다. 장미화관을 쓰고서 짙푸른 상록수의 호위를 받으며 당당하게 절을 받던 정면 가운데 자리를 떠나, 문지기나 수위에게 할당되기 마련인 입구 왼쪽 귀퉁이로 말이다. 철쭉 따위 키 작은 관목들 틈새에 홀로 서 있는 모습이 조금은 초췌해 보인다. 하늘을 향해 모은 두 손을 결코 풀지 않은 채, 반쯤 내리깐 눈으로 그저 쳐다보기만 했던 자신의 비겁한 방관과 몰인정이 뒤늦게야 부끄러웠던가?

참고인 조사니 조서작성이니 하는 따위 절차가 다 끝나고 아빠와 함께 장례식장에 도착했을 땐 어둠이 묵직하게 깔린 저녁 9시 무렵이었다. 동네 아줌마 몇몇이 영정도 꽃도 없는 텅 빈 빈소를 지키고 앉아 노랜지 창인지 모를 웅얼거림 소리로 기도 비슷한 걸 바치고 있었다. 장례식장에선 날 보자마자 영정사진이 필요하다며 명함판 사진이라도 찾아오면 확대해 쓸 수 있다고 채근했다.

아파트 단지 초입에 자리 잡은 성당 마당이 대낮처럼 환했다. 외부로 돌출된 등마다 불을 밝혀 둔 모양이었다. 성모동산 주변에서 아저씨들이 열심히 뭔가를 닦아 내고 또 물을 뿌리고 쓸어

내고 야단법석이었다.

"핏자국 지우기가 요렇게나 힘든 건지 몰랐네. 참말로 우리 성모님도 무정하시지. 칼 들고 설치는 그 못된 놈한테 벼락이라도 내리시지 않구선…."

"임동 성당 5·18 추도 미사는 왜 하필 그 시간에 있어갖고, 신부님이고 사무장이고 다 자리를 비우게 맹글었당가, 원!"

"그놈이 미쳐도 아주 옳게 미쳤드만. 용화동 여 약사나 이암동 주부 살해 사건도 지가 했다믄서, 나랏돈 빼돌리는 외국인한테 간 쓸개 다 내준 교회연놈들은 죄다 죽일 거라고 큰소리 뻥뻥 치더라네. 약한 여자들만 골라 범행을 저지른 주제에 지가 무슨 투사라도 되는 양…."

그들 사이로, 성모상 하얀 옷자락에 튄 핏자국을 지우느라 물을 뿌리며 열심히 떠들어 대는 그들 사이로, 나도 모르게 뛰어들었다.

"우리 엄말 지우지 마요! 제발 쫓아내지 마요!"

순식간에 신발이 젖고 교복 치마가 젖고 머리카락이 젖었다. 누군가가 날 끌어안았다.

"이거 놔요, 이거 놔!"

미친 듯이 버둥거렸다. 그럴수록 그의 팔이 더욱 세차게 조여왔다. 근육질의 살갗 여기저기에 이빨을 박으며 몸부림쳤다.

"우리 엄말 살려내요. 우리 엄말!"

"미안하다, 클라라. 미안해!"

신부님이었다. 딱딱하기 이를 데 없는 그의 갈비뼈들이 창살처럼 날 옭아맸다. 그의 가슴팍을 두 주먹으로 정신없이 두들겨 팼다. 꼼짝 않고 서서 움칠거리기만 하는 그의 어깨 너머로 넝쿨장미 검붉은 꽃들이 섬뜩한 쇠 비린내를 뿜어냈다. 세제와 락스에 젖은 축축한 핏빛 혓바닥으로 성모마리아의 하얀 베일을 사납게 핥아 대면서….

다 끝났다! 그날의 꽃은 지고 핏자국은 지워졌다.

아 으아아!

소나무 가지 아래 오롯한 내 그림자 하나, 아무 일 없다는 듯 사위는 적막하다. 주문의 위력에 새삼 흥분한 나는 빈 깡통을 우그러뜨려 휙 던진다. 쓰레기통 속으로 골인이다. 왠지 호기로워진다. 음주단속에 대한 걱정 따위 잊고서 차 열쇠를 꺼낸다. 나풀! 호주머니에서 작고 하얀 뭔가가 덩달아 흘러나와 떨어진다. 조그만 종잇조각, 엘비스의 집주소가 적힌 메모지다. 밤바람에 날려가도록 그냥 둘까, 아님 쓰레기통에 갖다 버릴까? 맥주 350㎖에 들어 있던 4.5 도수 알코올이 속삭인다. 그깐 무게가 얼마나 된다고 굳이 버릴 것까지야!

종이쪽을 쥐고서 액셀러레이터를 밟는다. 검푸른 밤하늘이 양편으로 쫙 갈라진다. 그 사이로 떠오른 희부연 길 하나, 까마득하다.

꽁지를 위한 방법서설

1

그녀를 맞아들인 건 들큰한 미역국 냄새였다.

코끝이 찡했다. 어쨌거나 출산의 노고에 비견된다는 유산을 하고 난 만큼 약간의 우울감에 사로잡힌 건 사실이었다. 그녀로서도 전혀 계획에 없었던 일을 어찌 알고…! 도우미 아주머니가 이미 퇴근했을 걸 알면서도 그녀는 고맙단 인사를 건네고 싶어 주변을 둘러보았다.

바로 그때 초인종이 울렸다. 택배요!

인터폰에 비친 건 긴 생머리 여자의 뒷모습이었다. 택배업이 남자들만의 전문 영역도 아닌데 왠지 생경했다. 뭐지? 그녀는 고개를 갸웃거리며 문을 열었다. 종이박스가 문짝에 밀려나며 치익 끌리는 소리를 냈다. 현관문에 바짝 붙여 놓은 걸로 보아 초보 배달기사임에 분명했다. 상자가 문과 벽 사이에 낀 채 더는 움직이지 않았다. 하는 수없이 슬리퍼를 꿰신고 문밖으로 나갔다. 계단을 달려 내려가는 빠른 발소리가 울려 왔다. 물건을 제대로 수령하는지 확인까지 하고서야 떠나는 책임감이라니, 초보다운 성실성만큼은 높이 사 줘야 할 것 같았다.

그녀는 상자를 불끈 들어 올리려다 주춤했다.

테이핑이 제대로 되어 있지 않은 데다 발신인이나 수신인, 상품의 종류 같은 기본 정보를 알리는 표시조차 없는 게 이상스러워서만은 아니었다. 날이 날이니 만큼 허리에 무리를 주지 않아야 한다 싶었다. 엉성한 포장 상태로 보아 분명 성주 녀석의 여름 옷가지나 잡동사니들일 거였다. 주말 귀가 때마다 조금씩 가져다 놓음 편했을 걸, 겨울바람이 불면서야 뭉뚱그려 부치는 게으름이라니…. 그래도 금요일 저녁에 도착시킨 걸 보면 주말에 와서 스스로 짐 정리를 하겠다는 기특한 의도일 거였다. 그녀는 성주의 짐을 질질 끌어다 신발장 앞에 바싹 붙여 놓는 것으로 손을 털었다.

그녀는 겉옷을 대충 벗어 던지고 침대 위로 몸을 부렸다. 비타민B 콤플렉스가 포함된 고가의 수액을 두 시간에 걸쳐 투여받고 왔음에도 머리가 어칠거리고 온몸이 나른했다. 나이 탓인게지. 그녀는 체념기 섞인 어조로 중얼거리며, 확인할 뭐가 있기라도 한 양 뱃살을 잡아보았다. 뭉텅 잡히는 살집의 두께감엔 별다른 변화가 없었다. 바람 빠진 고무풍선처럼 푹 꺼져 있으리란 기대 따윌 한 건 아니지만, 그렇다고 아무 일 없었다는 듯 그대로라니….

"9주차로 접어든 것 같네요. 축하드립니다."

"어머나, 세상에! 폐경이 아니고 임신이라구요?"

그녀는 앞이 캄캄했다. 언어적 수사로서가 아니라 실제로 눈앞이 흐릿하니 어두워졌다. 나이 마흔일곱에, 고등학교 2학년짜리 다 큰 아들을 둔, 여고 도덕 선생님으로서 무슨 창피란 말인가? 혹 떼러 갔다 혹 하날 더 붙이고 말았다는 혹부리 영감 이야기는 이런 경우에 대한 은유일 게 분명했다. 폐경 여부를 확인하러 온 사람에게 임신 축하 인사라니….

"선생님! 어떻게 좀 해 주세요, 네? 제발요!"

그녀는 의사에게 징징거리며 매달렸다. 지난 두 번의 낙태수술 때와는 달리 단호한 요청을 하기가 이상스럽게도 어려웠다. 강렬한 개성을 발산하며 그녀의 삶에 참참이 흔적을 새기는 성주에게 경도될 때마다 뒷골을 잡아당기곤 하던 불편한 느낌을 더 이상 걸머지고 싶지 않았다. 그땐 물론 이유가 분명했다. 혼전 임신이 알려져 도덕 교사로서의 명예가 실추되어선 안 된다는, 출산 휴가를 연년이 신청하는 뻔뻔한 아줌마 교사란 비난을 사고 싶지 않다는. 젊은 교사다운 충만한 직업의식에 차 있던 시절이었다.

"글쎄, 불법적인 의료행위를 할 순 없고…."

의사는 한껏 느린 말투로 자신의 권위를 드높였다. 그녀의 선택을 적극적으로 지지하고 후원해 주었던 지난 두 번의 수술에 대해선 아무 기억이 없는 사람처럼 아주 노회한 표정으로. 그녀는 침을 꿀꺽 삼켰다. 출산인가 중절인가 하는 식의 해묵은 고민은 그에게나 그녀에게나 의미 없는 선택지였다. 목에 힘을 주는 만큼 그는 분명 불법이라는 음습한 골짜기를 어떻게든 빠져나갈, 그녀가 적극적으로 선택할 필요 없을, 제3의 길을 보여 줄 것이었다. 그럼요, 그러셔야죠. 그녀는 의사의 어떠한 의학적 소견이라도 다 받아들일 수 있음을 알리기 위해 깊은 고갯짓으로 순응의 빛을 보였다.

"자연유산은 어떤 경우에도 법에 저촉되지 않죠. 오늘 한신희 님은 자연유산 후처리를 하기 위해 우리 병원에 오신 겁니다."

의사는 산부인과 진료와 관련해 다른 병원을 찾은 적이 없는 단골의 성실성에 대한 보답으로, 더 이상의 사족이 필요 없을 깔끔한 답을 내놓았다.

"감사합니다. 은혜는 잊지 않겠습니다."

"범법자가 될 계획이 아니라면 함구하셔야 합니다. 주변엔 귀 밝은 참새나 쥐새끼가 흔하디 흔하니깐요."

유머 감각은 다소 시대착오적이었지만, 매뉴얼 대로의 명령어 이외엔 무표정으로 일관하는 간호사의 말투보단 신선했다. 간호사의 대사는 20년 전이나 17년 전에 비해 그리 달라지지 않았다. 전임자로부터 인수인계 받을 때 내려 받은 전통이라도 되는 양

억양조차도 비슷했다.

처치실로 들어가세요. 치마로 갈아입고 팬티는 벗으세요. 하나 둘 숫자를 세세요. 한 달간 부부관계 하지 마시구요. 지혈 솜뭉치는 낼 아침에 제거하세요.

이 몇 개의 지시문을 위해 소요된 시간은 얼마 만큼이었을까?

처치실 벽에 걸려 있던 고무줄 치마로 갈아입고 스타킹과 팬티를 벗는 데에 30초, 수술대 위로 올라가 두 다리를 벌리고 누운 후 양 발목을 홀더에 고정시키는 데 20초, 신체의 가장 은밀한 부위가 만천하에 공개되는 듯한 수치심에 입술을 꼭 깨무느라 5초, 혈관으로 침투되는 마취제에 저항하여 하나 둘 세느라 3초, 금방 끝날 거라는 의사의 목소리와 큐렛이며 메스 따위 의료기구들이 내는 금속성 소리가 꿈결처럼 아득해지는 데 2초. 미리 부탁해 둔 영양 수액을 투여 받는 데 걸린 두 시간 여를 제외하면 채 5분도 걸리지 않았을 거였다.

2

니애애, 니애애…!

이상한 소리에 그녀는 퍼뜩 눈을 떴다. 배고픈 새끼 고양이가 숨넘어가게 우는 듯한 그런 소리였다. 귀를 쫑긋 세우고 사위를 둘러보았다. 집 안은 고요했다. 창밖에서 들리는 자동차 소음 이외에 별다른 소리는 들리지 않았다. 설핏 잠이 들었던가? 분명 산부인과 병원에서의 일들을 떠올리고 있었는데, 그새 꿈이라도 꿨던가?

그녀는 기지개를 켜며 길게 하품을 빼물었다. 남편 친구의 장모가 돌아가신 덕으로 그녀의 저녁은 한가롭고 편안할 예정이었으므로, 게으르게 몸을 뒤치며 다시 초저녁잠을 청했다. 소고기 미역국 냄새가 솔솔 그녀를 자극하긴 했지만, 한 끼쯤 거르더라도 내쳐 자고 싶은 마음이 더욱 간절했다. 한 자락 의식의 끄트머리가 아득한 심연으로 잠겨 들기 시작했다.

들척지근 감미롭게 빨려 들던 잠결을 거슬러 괴이쩍은 소리가 다시 한 번 그녀를 뒤흔들었다. 쫑긋 귀를 세우면 이내 잠잠해지고 환청인가 싶으면 다시 울리는, 고양이 소린가 싶다가 갓난아이 울음소린가 의심케 되는, 그런 기묘한 소리가. 그녀는 전사처럼 이를 앙다물고 벌떡 일어섰다. 소리의 진원지는 아무래도 현관문 근처였다.

엉성하게 테이핑 된 상자에서? 설마 성주 녀석이 제 짐 대신 강아지나 고양이를? 애완견을 사 달라고 떼를 쓸 때마다 귀여움의 이면에 도사린 배설물에 대해, 순한 눈망울이 품고 있는 온갖 악행에 대해 그렇게나 간곡히 일러 주었건만, 주말 이외엔 집에서 지낼 시간도 없으면서 제멋대로 일을 저지르다니….

그녀는 상자를 열어 보기로 마음먹었다. 어느새 소리가 잦아들어 상자에서 흘러나왔다고 단정하긴 어려웠지만 말이다. 불쑥 튀어나올지 모르는 털 달린 짐승에 대한 두려움을 누르며 그녀는 상자 윗면에 겹쳐진 네 날개를 조심스럽게 펼쳤다.

"옴마야!"

그녀는 비명을 터뜨리며 주저앉고 말았다. 아기였다. 헤진 수건으로 둘둘 말린, 한 줌이나 될까 싶은 아주 쪼그만 아기. 도저히 자신의 눈을 믿을 수 없었다. 분명 꿈일 거라고, 악몽을 꾸는 중이라고 그녀는 스스로를 납득시키고자 애를 썼다.

아무렴 자궁에서 쫓겨난 9주짜리 태아가 몇 시간 만에 신생아로 둔갑한다는 게 있을 법이나 한 일인가? 그것도 종이박스에 담겨 배달되어 온다는 게? 그녀는 자신의 허벅지며 볼이며 뱃살이며 잡히는 대로 꼬집어 보았다. 아팠다. 전등이란 전등은 죄다 스위치를 눌러 켜 보았다. 하나도 빠짐없이 불이 들어왔다. 암만해도 꿈은 아닌가 보았다.

이런 어이없는 사태가 과연 가능한 일인가…?

탐구할 시간은 주어지지 않았다.

아기가 본격적으로 울어 젖혔기 때문이다. 어차피 들통난 거 눈치고 뭐고 볼 필요 없다는 듯, 아긴 사력을 다해 울음소릴 냈다.

니애애! 니애애…!

농익은 홍시마냥 수많은 실금이 그어진 조막만 한 얼굴로, 한 방울 눈물도 없이. 수건 밖으로 삐져나온 단풍잎 같은 손발도 덩달아 허공을 휘저었다. 이마에 달라붙은 몇 가닥의 암갈색 머리칼이 땀에 젖어 번들거렸다. 그녀는 자기도 모르는 새 아기를 들어 올렸다. 아기를 감싸고 있던 수건이 훌러덩 벗겨지고 말았다.

세상에나! 아기는 벌거숭이였다. 배냇저고리는 물론 11월의 쌀쌀한 바람을 막아 줄 가리개 하나 걸치고 있지 않았다. 푸르스름한 배내똥과 오줌으로 축축이 젖은 낡은 수건 한 장, 덜렁거리는 배꼽을 묶은 실 말고는 아무것도 없었다. 흔한 종이 기저귀조차 차고 있지 않았다.

그녀는 아직 핏기가 가시지 않은 배꼽에 소독약을 바르고 자신의 취침용 생리대 하나를 임시방편 삼아 채운 뒤 담요를 찾아다 아길 감쌌다. 성주의 무릎담요 한 장이 아기의 몸뚱일 세 겹 이상으로 감을 만큼 컸다. 입술을 오물거리며 킹킹대면서도 아긴 더 이상 고양이 소릴 내지 않았다. 뽀송해진 아랫도리가 적이 만족스런 모양이었다.

하지만 그도 잠시, 아기는 오만상을 찌푸리며 조금 전보다 더욱 격렬하게 자지러졌다. 그녀는 오래 잊고 있었으나 익숙했던 뭔가를 생각해 낸 사람처럼 아기의 입술에 미역국 국물을 몇 방울 떨어뜨려 주었다. 지나치게 큰 소리로 짭짭 입맛을 다시는 아길 두고 서둘러 마트를 향해 달렸다. 누군가의 마술에 걸려들기라도 한 듯 단 한 번의 망설임도 없이 그녀는 분유를, 젖꼭지를, 우유병을, 그리고 신생아용 기저귀와 물휴지를 잽싸게 골라 담았다.

3

세발자전거를 탄 꼬마 애가 학교 운동장에서 맴을 돌고 있다. 긴 바퀴 자국을 끌고 가며 뒤돌아 여린 손을 흔들어 보인다. 엄마, 안녕! 불현듯 거대한 모래바람이 휩쓸고 지나간다.

텅 빈 사막.

톰슨가젤의 말라빠진 뼈다귀가 푸르르 모래가루를 털며 벌떡 일어선다. 두 개의 시커멓고 날카로운 뿔이 그녀의 가슴팍으로 맹렬히 달려든다. 두두두두!

그녀는 화들짝 놀라 눈을 떴다.

아무런 논리적 인과성이 없는 꿈으로부터 그녀를 불러낸 건 전화벨 소리였다. 전쟁 같은 몇 시간이 지나고 하루 동안 벌어진 일들에 대해 겨우 생각해 볼 짬이 났나 싶었는데 어느 결에 또 졸았던가 보다.

"여보세요!"

잠결인 데다 모르는 번호였으므로 평소 같으면 받지 않을 거였다. 하지만 그녀의 내부 어딘가에서 충동질하는 목소리가 울렸다. 받아. 어쩌면 애 엄마일지도 모르잖아.

"……"

아무 말도 들려오지 않았다. 망설이는, 멈칫거리는, 팽팽한 긴장감만이 수화기 안쪽에서 회오리쳤다. 여보세요, 여보세요? 그녀가 서너 번을 더 독촉하도록 건너편에선 아무런 대응이 없었다. 그녀가 막 전화를 끊으려는 찰나였다.

"서, 선생님!"

목소리를 통해 신원이 알려지기라도 할까 봐 몹시 조심스러운 어조였다. 누굴까? 머릿속에 한 겹 검은 휘장이 드리운 것처럼 목소리의 주인에 대해선 아무러한 정보도 떠오르지 않았다.

"더 나은 방법을 도저히 찾을 수 없었어요. 죄송해요. 아무 데나 버릴 수도 없구…."

몇 마디가 속사포처럼 쏟아져 나오더니 뚝 끊겼다. 그녀의 대꾸를 기다리지도 않고, 누구냐고 묻기도 전에. 황당하기 이를 데 없었다. 신분도 밝히지 않고서 대뜸 변명이라니! 어이없음과 불쾌감에 이어 온몸을 훑어 내리는 전율 같은 게 그녀의 등줄기를 훑고 내려갔다. 아기 엄마임에 틀림없다는, 그녀가 알고 있는 아이들 중 하나일 게 분명하다는!

전화기에 찍혀 있는 번호로 그녀는 서둘러 발신 버튼을 눌렀다. 신호음이 울리기까지의 극히 짧은 한순간이 동짓날 밤처럼이나 길었다. 잠기운은 이미 하늘 저 끝으로 달아나 있었다. 여보세요. 젊은 남자의 목소리가 들려왔다. 염치없고 뻔뻔스런 헛소리라도 듣게 되지 않을까 더럭 겁이 났다. 하지만 쓸데없는 기우였음이 금방 드러났다.

"아! 그분요? 폰 배터리가 다 됐다고, 급히 연락할 데가 있어 그런다고, 잠시만 빌려 달라셔서…. 지금 이 근저엔 안 계신 거 같아요."

그녀의 온몸에서 기운이 쑥 빠져나갔다. 낚아챈 물고기를 놓쳐 버린 허망감에다 허방을 디뎌 고꾸라진 듯한 창피함을 남겨 두고서. 그런데 뭔가 낯익다는, 언젠가 똑같은 허망감과 창피스러움으로 후들거렸다는 그런 생각이 퍼뜩 스쳤다.

'선생님! 돈 좀 빌려주세요. 다른 방법은 찾을 수가 없어요.'

'일단 만나자. 지금 어디니?'

'지금요? 12시가 넘었는데요. 그냥 통장으로 부쳐주시면….'

'오늘 상담실에서 나눈 얘긴 절대로 비밀을 지켜줄게. 얼굴 맞대고 방법을 연구해 보자. 낮에도 말했지만 좀 더 나은 방법이 있을 거다. 내일 상담실서 다시 보자. 아님 지금 그쪽으로 내가 갈까?'

(뚝!)

(--------------)

'그 여자분요? 어디로 가셨는지 전 모르죠. 배터리가 나갔다고 한 번만 쓰게 해 달래서 빌려드린 것뿐인데요.'

잊고 있었다.

수술비를 빌려 달라며 한밤중에 전활 했던 그 아이를. 아무런 해결책도 제시해 주지 못한 채 똑같은 말만 되풀이하다 끝난 상담이 그 애에겐 여전히 진행형이었을 것임을.

"왜 그렇게 됐는지를 알아야 해결 방법을 찾을 거 아니니?"

"남자와 잔 게 하필 배란일이었나 보죠. 누군지 알 게 뭐예요? 돈 받은 걸로 끝이었는데…."

"그래서 이젠 어떡할 건데?"

"그걸 모르겠어요. 선생님이 좀 가르쳐 주세요."

고개를 푹 숙이고 있으면서도 말소리만큼은 또렷했다. 돌이켜 생각해보면 그날의 그녀는 빵점짜리 상담교사였다.

"성폭행임을 입증할 수 있다면 합법적으로 낙태수술을 할 수 있어. 당장은 힘들겠지만 장기적으로 보았을 땐 네 자유가 보장되는 최선의 방법일 수 있어."

"싫어요. 나를 모르는 사람들까지도 다 날 알게 될 거예요. 그런 식으로 유명해지고 싶지 않아요. 성폭행을 당한 것도 아니구요."

"그럼 낳겠다는 말이니? 점점 더 배가 불러올 거고 7개월 후면 아기가 태어날 텐데? 네 말대로라면 그 역시 유명해지는 길 아닐까?"

"기를 수 없어서 낳지 않겠다는데 그게 왜 불법이에요?"

그녀는 천부인권에 대하여, 수태되는 바로 그 순간부터 지니게 되는 인간으로서의 권리에 대하여 장광설을 늘어놓았다. 낙태수술을 권한 지 1분도 지나지 않아 인간 생명의 존엄성과 태아의 생명권을 역설하고 있는 모순에 관해선 전혀 의식하지 않은 채로.

"그렇다면 제 인권은요? 태어나지도 않은 아기의 생존권 때문에 제 인권을 포기해야 하는 건가요?"

그녀는 말문이 막혔다. 페미니즘이 근대를 향해 던졌던 근본적인 질문이 그 애에게서 되풀이될 줄이야!

"도덕 수업을 들으러 온 거 아니에요. 그러니 지금 제가 어떡해야 하는지 방법을 가르쳐 주세요."

호되게 뒤통수를 얻어맞은 느낌이었다. 그녀가 방법이라고 할 만한 걸 제시할 여력이 있긴 했을까? 밤늦은 시간에 그 애가 돈을 빌려 달라며 전활 했던 걸로 보면 몇 가지의 선택 가능성에 대해 어떤 식으로든 말을 해 주었음에 분명했다. 중절과 출산의 차이에 대해, 뭘 선택하느냐에 따라 달라질 미래의 상황에 대해, 그리고 어떤 경우라도 보호자와의 충분한 협의가 필요하다는 식의 충고 따위….

아마 녀석은 제 담임에 의해 얼마 전 자퇴 처리가 되었을 것이다. 그날의 상담을 끝으로 반년 넘게 무단결석 상태였으므로. 유일한 가족이었던 할머니가 그 애를 어디서도 찾을 수 없다며 체념해 버렸으므로. 긴 머리를 한 갈래로 묶고 다니던, 키가 크고 다소 주눅 든 듯한 눈빛의, 도덕 시간이 젤 재밌다면서도 점수로 눈길을 끈 적이 없던 그 애, 석연이.

그녀는 다짜고짜 경비실로 내려가 CCTV 판독을 요청했다.

수위는 잔뜩 졸린 눈으로 절차상의 문제점을 들어 거부했다. 관리소장의 허가를 받지 않은 상태에서, 구체적인 피해 사실 입증이나 경찰관 입회도 없이 아무에게나 지난 기록을 열람시켜 줄 수 없다는 것이었다. 아무나가 아닌 정당한 권리를 가진 입주민이라는 그녀의 주장에 대해선, 본인에 대한 증명과 사건 접수가 반드시 서류로 제시되어야 한다며 한 발도 물러나지 않았다. 날이 밝을 때까지, 수위가 더 이상의 잔소리를 하지 않게끔 서류가 완벽히 준비되기까지, 그녀의 모든 놀라움이며 불편과 억울함 그리고 조급증과 호기심들은 잠재우는 수밖에 없었다.

아기는 두어 시간 간격으로 깨어났다.

그리고는 숨넘어가는 소리로 기저귀를 갈아 달라거나 젖을 빨고 싶다는 등 제 요구를 거침없이 드러냈다. 그녀가 막 단잠에 빠져들려는 순간마다 어떻게 알고 그리 보채는지, 밤새도록 그녀의 인내력을 시험하기로 작정이라도 한 듯싶었다.

"깜짝이야! 하마터면 밟아 버릴 뻔했잖아. 도대체 웬 아기야?"

새벽녘이 되어서야 겨우 다리를 뻗은 그녀를 이번에는 남편이 흔들어 깨웠다. 잔뜩 취해 들어와서 정신없이 코를 골아 대고 난 끝에 도저히 혼자서 풀 수 없는 괴이쩍은 의문덩어리를 발견해 낸 거였다.

4

근대의 가장 위대한 발명이 뭔지 아는 사람?

자동차요. 전기요. 신대륙이요.

그런 건 과학이나 역사 시간에 내놓을 답이고…. 정답은 바로 나! 생각하는, 이성을 가진 나! 코기토 에르고 숨.

교탁 위에 올려놓은 손전화가 계속해서 떨어 댔다.

근대철학의 아버지 자리에 가장 자주 앉는 데카르트를 아이들에게 막 소개하는 중이었다. 수업 중엔 시간확인용으로만 사용하는 기기인 탓에 그러거나 말거나 무시했다. 지나치다 싶을 만큼 쉼 없이 떨어 대는 게 수상쩍긴 했지만, 하늘이 무너져도 학생들의 수업권만큼은 반드시 지켜야 한다는 소신을 철회할 순 없었다.

수업을 마치고 교실 밖으로 나서면서야 발신자 확인을 했다. 여섯 번 모두 도우미 아주머니였다. 느닷없이 출현한 아길 보고 대경실색한 아주머니에게 그녀는 시시콜콜 모든 정황을 설명하는 이외에도, 아기의 거취가 결정 나기까지 일당을 배로 올려 주겠단 약속을 해야 했다. 그런 마당에 뒤늦게 발을 빼겠다는 건 아닐 테고 도대체 무슨 급한 일로…? 하지만 생각하고 추론할 여지 따위 주지 않고 전화기가 또다시 부르르 부르르 떨기 시작했다.

"하이고, 선생님! 암만 바빠도 전화는 좀 받으시야제. 애기가 경기를 일으키고 난리가 났는디! 하도 전활 안 받으싱게로 기냥 병원에 델꼬 와 부렀지라. 근디 애기 이름이랑 주민번호를 모르믄 접수가 안 된다 안 하요? 차말로 인심 사납구만요. 요로케 깐난애기가 열이 펄펄 끓고 까무러치는디 고런 절차부터 밟아야 쓴다고…. 그나저나 어째야쓰께라?"

그녀가 끼어들 틈이 도무지 없었다. 일사천리로 쏟아 내고서야 아주머니는 마침내 그녀의 의견을 물어왔다. 병원 접수계 직원으로선 아기에게 의료보험 수급권이 있는지, 친권자인 보험료 납부 의무자의 이름은 뭔지 등을 확인하려고 그랬을 것이다. 그녀는 직원을 바꿔 달라 하여 상황 설명을 했다. 그녀의 복잡한 얘길 듣고 난 담당자는 아주 간명하게 처리방법을 알려주었다. 늘 그렇듯 돈에 관련된 일들은 답과 근거가 명쾌했다.

"일반으로 접수하시면 되겠네요. 이름이 없으니 일단은 한신희님의 아기로 기명할게요. 진료비는 의료보험 수가보다 훨씬 높다는 거 아시죠? 보험적용 대상자로 등록되고 나면 한 달 이내로 환불 요청하시구요."

그녀의 가슴이 철렁 내려앉았다. '한신희님의 아기'라니! 한 종지 덩이진 핏물로 버려져 지금쯤은 흔적도 없을 9주차 태아 대신, 어떻게든 살아남고자 획책하는 염치없는 꼬맹이에게 자신의 이름까지 배경으로 얹어 줘야 하다니! 지난 사흘간 그저 울음소리만으로 그녀를 자신의 수족처럼 부리며 제 모든 욕구를 관철시킨 뻰뻰스런 아기의 벌건 낯짝이 떠올랐다. 이젠 그도 모자라 병원에까지 진출하여 자신의 존재를 공공연하게 드러내려 한다.

금요일 저녁을 선택한 건 아기 엄마의 치밀한 계획이었을지 모른다.

공공기관이 아무런 죄의식 없이 공공의 업무를 중단해 버리는 주말로 바로 이어진 통에 그녀는 갑작스레 달라붙은 혹 덩어리를 처리하지 못한 채로 사흘 밤을 버텨야 했다. 뻣뻣하기 짝 없던 수위 영감 앞에 보란 듯이 서류를 던지며 CCTV 판독을 요청하려던 계획도, 주민 센터 호적계나 사회복지계 담당 직원의 조언을 구하려는 의욕도, 그리고 수능이 끝난 후의 여유를 누리느라 충장로로 전대 후문으로 몰려다니며 커피 맛을 품평하는데 한창 열 올리는 석연의 친구들을 불러다 탐색해 봐야겠단 생각도 아무러한 진척을 볼 수가 없었다.

게다가 아기를 애완견 대용품쯤으로 여기는 듯싶은 성주나 '딸 하나 있었으면' 을 입버릇처럼 외고 다니던 남편은 외려 그런 상황을 반기는 눈치여서 그녀에겐 하등 도움이 되지 않았다.

"옛말에 업둥이는 굴러 들어온 복이랬는데, 함부로 내쳤다간 화를 입는다고도 하던데…."

신생아에겐 아직 필요하지도 않은 모빌이며 딸랑이 따위를 사 들고 들어와선 그녀의 눈치를 살피는 남편에게, 몇몇 교회에서 운영한다는 베이비박스에다 아길 슬쩍 놔두고 오자는 제안을 할 수는 없었다. 그것도 광주에서 세 시간 넘게 달려가야 하는 서울이나 군포 어름의 어느 교회까지 가자고는….

“나는 운다. 고로 존재한다. 캬아, 데카르트 선생님도 너처럼 맨몸으로 철학하는 앤 못 보셨을 거다. 야, 못난이 꽁지! 까다로운 요 아줌마한테만 잘 보이면 니 인생 편다. 잘 해 봐라, 나처럼 똑똑한 미남 오빠 또 만날려면! 흐흣.”

기숙사로 돌아가는 시간까지 신기한 장난감 만지듯 아기의 발바닥을 간질이며 헛소릴 해 대는 성주에게 가져갈 물건이나 잘 챙기라고 소리 지르는 게 고작이었다.

그녀는 내친 김에 주민 센터로 전화를 걸었다.

“경찰에 신고하는 게 우선일 것 같네요. 일단은 아기의 호적이 만들어져야 하니까요.”

관계 공무원의 친절한 답변에는 별다른 해결책이 들어 있지 않았다. 아기의 생모가 출생신고를 해 주는 게 아기의 국적인증과 향후 입양절차 등에서 유리하다는 입양특례법이나, 경찰이 작성한 유기아동신고 접수조서로 출생신고를 대체한 후 법원의 허가를 받아 아이의 성과 이름, 본 등을 정하는 방식으로 호적을 생성시킨다는 호적법 제57조에 대한 상세한 설명 따위도, 당장 아길 어떻게 할 것인가에 관한 내용은 하나도 들어 있지 않았다. 짜증스러움이 확 몰려왔다. 그녀는 왜 자신이 그런 복잡한 문제를 떠맡아야 하는지 이해할 수 없었다.

“그러니까 지금 당장 어떻게 해야 하냐구요?”

"그걸 민원인께서 결정하셔야지 제가 어떻게 해 드리겠어요? 그러니까 다시 말씀드리면요, 기본 원칙은 경찰에 신고한 후 사회복지시설로 넘기시는 거구요. 만약 입양을 원하시더라도 그 과정을 거쳐야 한다는 겁니다. 호적 생성을 통해 대한민국 국적을 취득한 이후, 자치단체장의 허가를 받아야 입양이 가능하니까요."

공무원과의 통화 한 번으로 문제가 해결되리란 기대는 물론 하지 않았다. 하지만 타인에게 폐를 끼치지도 또 폐 끼침을 당하지도 않는 평온하고 도덕적인 일상유지가 삶의 기본 모토인 그녀에게 경찰이니 법원이니 하는 불온한 단어에다, 생어거지임에 분명한 입양 절차 설명이라니. 쉬는 시간만 홀랑 날려 버린 데 대해 뭉근히 솟는 분노를 누르며 그녀는 다음으로 할 수 있는 일이 무엇일지에 초점을 맞추려 애썼다.

석연의 담임은 별 감흥 없이 정보거리도 되지 않는 몇 마디를 들려주는 것으로 끝이었다.

"그 애 할머닌 지금 노인 요양시설에 계실 거예요. 손녀딸이 있었는지조차 기억 못하실 걸요?"

나름 그 애와 친했다는 아이들의 증언에서도 의미 있는 단서를 얻을 순 없었다.

"수능 끝난 날 저녁이던가? 돈 있음 좀 빌려 달란 전화가 왔었어요. 나 쓰기도 바쁜 판에 빌려줄 거나 있어야 만나죠."

“두어 달 전까진 가끔 문자를 주고받기도 했죠. 뭐 시시껄렁한 이야기들이었어요. 라면이 먹고 싶니, 찜질방에서 늘어지게 잤다느니, 편의점 알바에서 짤렸다느니….”

“양아치들이랑 어울려 다니는 걸 몇 번 봤어요. 대학엘 가려면 걔랑 만나지 말아야겠다 싶어 피해 다녔어요. 다행히 3학년 땐 같은 반이 아니어서 자연스럽게 절교를 한 셈이죠.”

빈 수업 시간이나 쉬는 시간을 짬짬이 활용해 보았지만 소득은 미미했다. 단서는커녕 막연한 추정을 뒷받침할 만한 최소한의 자료 하나도 나오지 않았다. 그녀는 아파트 CCTV 판독에 희망을 걸 수밖에 없다고 생각했다. 하지만 그런들 무슨 의미인가 하는 회의적인 생각도 동시에 떠올랐다. 석연이 그녀 집 앞에다 아길 버린 게 확인된다 한들, 경찰을 동원하지 않고서 그 앨 찾을 수 있을 것인가? 또 그렇게 찾아낸들 그 애에게 어떤 책임을 지우며 어떤 해결책을 내놓으라 할 것인가?

5

도우미 아주머니가 가방을 챙겨 나오며 너스레를 떨었다.

현관문으로 막 들어서는 그녀를 붙들고 교대 근무자라도 만난 양 화들짝 반기며 기나긴 사설을 늘어놓았다. 서로의 퇴근 시간이 같은 탓에 실제로 얼굴을 마주치기가 하늘의 별따기였으므로 그동안은 아주머니의 수다를 제대로 들어본 적이 없었다.

"혹시나 파상풍일까비 맘 졸였드만 다행히도 열감기랍디다. 에미가 그래도 배꼽 하나는 제대로 짤랐든가벼요. 차말로 혼나부렀구만요. 선생님이랑 통화는 안 되지 애기는 깔딱 넘어가지, 하이구야! 사람 하날 더 디레 주든지, 집안일을 하지 말라든지 해야지 오늘 같아선 일 못해 묵겄어요. 암튼지 인자부턴 선생님이 욕보시겄구만요."

긴 사설의 핵심 부위는 사람 한 명을 더 들이든지 집안일을 줄여 달라는 데에 있을 거였다. 아침에 합의해 준 일당이 양에 차지 않으니 전면 재협상을 해야 한다는 은근한 협박임에 분명한. 그녀로선 이래저래 불쾌감만 커졌다. 무엇 하나 해결되는 기미도 없이 요구사항만 더 늘어난 채, 어린것의 병수발까지 해야 하다니.

"차암, 열 내리고 갠찮아지면 BCG 접종부터 하랍디다. B형 간염도요. 애기한테 볶여서 국도 새로 못 낄이고 반찬은 지대로 간을 못 봤은께 그리 이해하시고라."

도우미 아주머니는 현관문이 열리고 닫히는 잠깐 사이도 여백으로 남겨두지 않았다.

헥헥거리는 남편의 숨소리가 아주머니의 발자국 소리와 엇갈렸다.

서둘러 바삐 달려온 듯했다. 제삿날이나 명절이 아닌데도 정시 퇴근을 한 이유가 궁금했다. 뭔가를 뒤로 숨기려는 듯 쭈뼛거리는 그의 행동거지 역시 수상쩍었다. 해명을 들을 필요도 없이 미처 닫히지 않은 현관문 틈새로 이유들이 줄줄이 따라 들어왔다. 아기용 침구세트에 흔들이 요람에 유모차까지.

"당신 미쳤어?"

"무슨 그리 섭한 말씀을…. 어린 것이 아프다는데 편한 잠자리라도 만들어 줘야지."

그리고는 그녀가 더 이상의 잔소릴 늘어놓기 전에 소파 위의 아길 안고선 안방으로 내빼고 말았다.

"아이구, 우리 못난이 꽁지! 열나고 아팠어요오!"

지난 주말 성주가 아무렇게나 지어 붙인 별명을 부르며 아길 어르는 남편의 목소리가 방문 밖으로 새 나왔다. 갈수록 가관이었다. 이걸 어째, 이쁜 얼굴에 사방팔방 열꽃이 폈네. 쫌만 기다려. 흔들침대 만들어 줄게. 여기다 요 깔고 베개 놓고 이불 덮고오! 어때, 좋지? 이젠 하나도 안 아프지?

"그러고 보니 수상쩍네. 당신이 어디서 나 몰래 낳아 가지구 와서 쑈하는 거 아냐?"

생뚱맞은 억지소리가 불쑥 튀어나왔다.

"허 참! 차라리 그랬기라도 했음 좋겠네. 어찌 된 게 애들 가르치는 선생이란 사람이 그리 독해? 아직 눈도 못 맞추는 어린 것을 어떻게든 몰아낼 궁리만 하구 말야. 그런 심뽀로 백날 아들 잘되라고 기도해 봐라. 무슨 덕이 돌아오겠나?"

눈을 흘기는 남편에게 딱히 뭐라 대꾸할 말이 떠오르지 않았다. 며칠 전에 아무 상의 없이 지워 버린 아이 얘길 꺼낼 수는 더군다나 없었다. 체면과 나이와 직장에서의 눈치 따위 온갖 핑계거리를 내세워 제 새낄 가차 없이 죽여 없애고 온 날, 무슨 죄과라도 되는 양 하늘에서 뚝 떨어진 아길 어찌 편한 마음으로 대할 수 있겠냔 따위 말도 차마 뱉어 낼 수 없었다. 제 아비와 어찌도 그리 짝짜꿍인지 때맞춰 성주에게서 문자까지 들어왔다.

못난이 꽁지, 마니 아파요? 사진 좀 찍어 보내요. 여러 장.

하아, 그녀는 한숨을 내쉬며 저녁상을 차리기 시작했다. 그녀의 일상에 별안간 침입한 한 주먹 크기의 꼬맹이가 이젠 가족 관계마저 흩트려 놓을 작정인가 보았다. 지난 금요일에 먹다 남긴 미역국이 렌지 위에서 끓고 있었다. 잘 고아진 양지머리 살이 입안에서 사르르 녹았던 기억은 까마득한 옛일 같았다. 애보기를 핑계 삼아 저녁 반찬을 대충 해 놓고 간 아주머니가 문득 얄미웠다.

전에 없이 잠귀가 밝아진 남편은 아기가 뒤치는 소리에 졸다가도 깨나곤 했다.

시간 맞춰 아기의 입술에 약물을 흘려 넣고, 또 우유를 타다 빨리곤 했다. 깜짝 놀란 양 몸서릴 치거나 움켜쥔 작은 주먹을 허공에다 훅 내지르기라도 할라치면 보듬어 안고 서성이기까지 했다. 밖에서 낳아 온 자식을 마누라 몰래 보살피는 아비처럼, 행여 그녀를 깨우기라도 할 세라 조심스럽기 그지없었다. 하지만 새벽

두 시가 넘자 평소의 그답게 아기를 팽개친 채 드르렁드르렁 코를 골고 말았다. 종당엔 다시 그녀의 몫이었다. 그러면 그렇지. 그녀는 혀를 차면서도 근무 교대를 한 초병처럼 아기 곁으로 가 누웠다. 아무리 특별한 사건일지라도 마침내는 일상으로 침전되고 마는 것인가?

아기가 칭얼거렸다.

그녀는 벌떡 일어나 기저귀를 갈아 주고 젖병을 물렸다. 마지막 한 방울까지 쪽쪽 빨고 난 아기의 얼굴에 만족스러운 미소가 어렸다. 트림을 시키려 아길 세워 안고 그녀는 등을 살살 토닥여 주었다.

가르랑가르랑 가래 끓는 숨소리, 물렛가락처럼 철커덕거리는 심장 박동 소리, 크르륵 막힌 물줄기가 터지듯 시원스런 트림 소리, 그리고 뜨겁게 끼쳐 오는 한 덩어리의 온기….

잘 자라, 우리 아가! 앞뜰과 뒷동산에~

무심결에 그녀의 입술에서 자장가가 흘러나왔다. 못난이 꽁지가 그녀의 일상으로 파고든 지 나흘째 밤이 지나가고 있었다.

그럴 듯한 이야기는 있다?

한낮의 올빼미 노릇에 지친 오후 여섯 시.

어두침침한 독서실을 빠져나간다. 아직 쨍쨍한 초저녁 빛이 눈부시다. 어디서 쏟아져 나왔는지 수많은 사람들이 내 어깨를, 손을 아무렇게나 부딪치고 지나간다. 미안하다는 말 한마디 없이. 그런데도 반갑다. 날 또닥여 주는 것만 같다.

ㄴ사 입사시험은 낼모레, ㅅ사는 다음 주 금요일, 그리고 ㅌ공사는 한 달 후예요. 이번만큼은 어디든 되겠죠? 물으면 모두들 고개를 끄덕여 줄 것 같다.

"엇, 죄송합니다!"

엇갈려 지나면서 들고 있던 가방으로 나를 툭 친 남자가 사과를 한다. 그의 손을 잡고 있던 만삭의 아내 역시 똑같은 표정으로 고개를 숙인다.

"뭐, 괜찮아요."

그들의 사과에 황송해하며 고개를 조아리는 사이, 왠지 낯익다는 느낌이 퍼뜩 스친다. 늦여름 더위에 긴팔 와이셔츠까지 챙겨 입은 까만 정장 차림의 남자와 어깨가 떡 벌어진 살집 풍만한 여자. 저기, 혹시…?

하지만 그들은 어느새 인파 속으로 사라져 버렸다. 사람들 틈새를 비집고 아무리 살펴보아도 옷자락 하나 눈에 띄지 않는다. 나는 실제로 그들을 만났던 것일까?

*

누군가가 헐레벌떡 뛰어들었다.

어찌나 거칠던지 그의 뒤에서 유리문조차 푸르르 떨었다.

"무엇을 도와드릴까요?"

까만 양복을 말쑥하게 차려입고 서류봉투 같은 걸 손에 든 중년의 신사가 내 앞을 휙 스쳐 지나갔다. 출장이라도 다녀오는 직원인가 싶자 갑자기 뒤가 켕겼다.

"아르바이트 학생입니다. 잘 부탁드립니다."

여기저기서 키들거렸다. 사람을 잘못 짚었나? 양 볼이 화끈거렸다. 야속한 느낌도 들었다. 첫 출근한 아르바이트 학생인 걸 뻔히 알면서 가르쳐 줄 생각은 않고 비웃기부터 하다니.

"민주 씨, 등본 한 장!"

민원실 앞에 선 그의 뒷모습을 보고 있자니 나의 판단 착오가 창피하고 씁쓸했다.

"그거 어디다 쓸려구?"

누군가가 반말조로 물었다. 민원인을 대하는 공무원다운 말투는 아니었다. 궁금증을 해소하려는 진정성 같은 게 느껴지지도 않았다. 잇새로 웃음을 질끈 깨물고서 툭 던져 보는 장난기 서린 질문 같았다.

"혼인신고!"

그는 머릴 긁적거리며 부끄러워 미치겠다는 듯 몸을 배배 꼬았다. 그러더니만 뭔가를 작심했다는 결연한 낯빛으로 주민 센터가 떠나갈 만큼 큰 소리로 외쳤다.

"민주 씨, 나랑 결혼해!"

소리를 죽이려 애쓰는 듯한 웃음소리가 여기저기서 터져 나왔다.

난 더욱 어리둥절해진 채 사태 파악을 해보려 애를 썼다. 섭씨 35℃를 오르내리는 한여름 더위에 긴 팔 와이셔츠에 넥타이를 받쳐 입은 정장 차림을 하구선 주민 센터 여직원에게 공개적으로 청혼하는 남자, 별로 놀라는 기색도 없이 킬킬대는 직원들….

그의 청혼 대상자가 누구인지 궁금했다. 직원들의 이름을 아직 익히지 못했으므로 일단 여직원들의 면면을 살피기로 했다. 하지만 굳이 그럴 필요가 없었다. 그의 민주 씨가 구시렁대며 이 맛살을 찌푸렸기 때문이다.

"미친…."

민원실의 고주임이었다. 이름 때문에 고민이 많다며 성과 합쳐서 자길 부르지 말아달라던, 생김새나 말투가 우스꽝스러워 인상적이었던 아줌마다. 이어지는 그녀의 대꾸는 더욱 가관이었다.

"알았어요, 알았다구요. 말만 하지 말고 날을 잡아요."

고개를 들지도 목소리를 높이지도 않고, 막 하품이 나오려는 걸 애써 참는 듯한 심드렁한 말투였다. 옆자리의 과장님이 더는 못 참겠다는 듯 푸하하, 소리 내어 웃었다. 뒤에서 양옆에서 그리고 건너편에서도 폭소가 이어졌다. 멀뚱하게 주변을 둘러보는 건 남자와 나, 둘뿐이었다. 하지만 그와 내가 같은 표정이었을 리는 만무다. 난 그저 어리둥절하여, 남자는 그런 대답이 나올 줄 알았다는 듯 의기양양하여….

어쨌건 고주임의 대답을 듣고 나자 남자는 밝은 표정으로 어깨를 으쓱였다. 그리고는 민원인 대기실에 비치된 컴퓨터 앞으로 갔다. 굉장히 심각한 표정으로 꼼짝 않고 앉아 화면을 노려보며 더러 자판을 두들기곤 했다. 그러면서 간간이 누군가에게 욕설을 퍼붓거나 한탄 섞인 말을 내뱉기도 했다. 그의 혼잣말은 대략 몇 가지로 한정되어 반시간쯤 지나자 무슨 말인지 분간이 되기 시작했다.

저런 개만도 못한, 앞길이 창창한 젊은 애들을, 다산 같은 경세가가 있었다면, 백성의 고혈을 빠는 거머리들 같으니….

그날 이후 두 달 간의 아르바이트가 끝날 때까지 매일 아침마다 똑같은 풍경이 연출되었다. 정확히 9시 10분이면 헐레벌떡 뛰어드는 까만 양복 차림의 남자, 그가 들어서는 순간 질리지도 않고 웃을 준비를 시작하는 직원들, 매번 주민등록등본 발급 신청을 하고 민주 씨에게 청혼을 하는 남자, 그리고 이어지는 투덜거림, 왁자한 웃음소리, 그 다음엔 컴퓨터 자판을 두들기며 내뱉는 진보적 시사만평…. 달라진 게 있다면 웃을 준비를 하고 또 왁자하게 웃는 직원들 대열에 언젠가부터 내가 끼어들었다는 점이다.

그 사이 난 꽤 여러 가지 정보를 알아냈다.

가장 놀라운 정보는 내가 아줌마라 단정했던 고민주 주임이 마흔한 살의 노처녀라는 사실이었다. 어깨가 떡 벌어지고 뱃살이 축 쳐진 데다 두껍게 바른 파운데이션으로도 주근깬지 기미인지 모를 거무튀튀한 자국을 숨기지 못하지만, 커피숍의 분위기를 따지느라 서너 군데 이상 돈 다음에야 자리를 잡고, 빛깔 고운 가로수 잎이 지면 그걸 주어다 시집에 꽂기도 하는 아가씨였던 것이다.

다음은 지난 반년 동안 하루도 거르지 않고 고주임에게 청혼했다는 남자를, 주민센터 직원 모두 '미친 황씨'라 부른다는 거였다. 청혼을 받은 고주임이 늘 '미친…' 하며 말끝을 흐리는 걸 보고 누군가가 붙인 별명이었으나, 그의 행동거지를 보건대 미치지 않았다고 주장할 근거가 희박하여, 별명으로써 아주 적합하다는 결론이 났기 때문이다.

한창 나이에 특별한 직업 없이 치매기 있는 노모와 영구임대주택에서 살고 있는 생활보호대상자라는 점에서도, 그를 정상으로 볼 수 없다는 게 직원들 대부분의 의견이었다.

마지막으로 내가 가장 흥미로워하고 또 어떤 최후의 단정도 내릴 수 없는 정보로는 미친 황씨가 어쩌다 그리 됐는지에 관한 몇 가지 설이었다. 이상하게도 이 부분에 이르러선 직원들이 편을 갈라 언성을 높일 만큼 의견이 분분했다.

첫 번째 설은 미친 황씨가 일류대 출신의 천재로, 사법고시에 거듭 실패하면서 우울증에 시달리다 맛이 가고 말았다는 것이다.

"매일 컴퓨터 앞에서 심층보도 뉴스나 시사 프로그램에 열 올리는 걸 봐. 코미디나 개그도 아니고 야동도 아니고 말야. 미친 사람이 시사 논평을 하는 거 봤어? 게다가 굉장히 진지해. 정치인들의 못된 행태나 경제 분석가들의 오류도 정확히 지적해 내곤 한다구."

그러나 치매기 있는 그의 노모가 횡설수설 늘어놓은 주장 말고는, 학력이라든가 아이큐에 관한 객관적 자료가 불분명했기 때문에 그 설의 주장자들은 늘 도전을 받아야 했다.

두 번째 설은 그의 원적이 광주라는 사실에서 유추한 것인데, 1980년 광주 민주화항쟁 때 계엄군에 맞서다 갖은 고문을 받아 그리 되었으리란 추측이다. 이 설의 근거 역시 그의 진보적이고 수준 높은 시사만평에서 기인했다. 처녀라는 사실 말고는 내놓을 게 없는 고주임에게 끌리는 것도 이름이 '민주' 이기 때문일 거라는 게 그들의 의견이었다.

"아무리 머리가 돈 남자라도 여자 보는 눈은 있지 않겠어? 순전히 이름 때문이야, 민주! 어떤 시인도 그랬잖아. 타는 목마름으로 네 이름을 쓴다. 민주주의여! 부르다가 내가 죽을 이름이여!"

김지하와 김소월이 뒤섞인 그의 창조적 기억이야 어쩔 수 없다 쳐도, 고주임에겐 여간 불쾌한 말이 아닐 수 없었다. 그녀의 성격이 무던한 데다 커피숍에서의 씀씀이가 헤퍼 여직원들 사이에 인기가 많았으므로 이 설은 지지자 수가 가장 적었다.

세 번째 설은 미친 황씨의 노모가 정신대에 끌려갔다 어쩔 수 없는 임신으로 그를 낳았기 때문에, 정상적인 성장을 할 수 없어 그리 되었다는 상당히 무모한 주장이었다. 정신대 할머니들의 수요 집회 관련 뉴스에서 그의 노모를 보았다는 누군가의 증언이

유일한 근거였는데, 이에 따르면 황씨의 나이는 호적에서보다 물경 이십 살 가까이 더 많아져야 했다.

"그의 노모가 입에 달고 사는 '죽일 놈들' 이란 말은 사실 일본군을 뜻하는 거야. 이거 봐, 혼인 날짜가 아들 출생신고일보다 뒤잖아. 황씨의 진짜 아버지는 일본 놈인 게 분명해."

"1938년생 노파가 전쟁 막바지에 끌려갔다 해도 일곱 살이야. 워낙 비상식적인 상황이었으니 그럴 수도 있다 쳐. 임신이 가능해? 게다가 그렇게 계산하면 미친 황씨는 환갑 진갑 다 넘었게?"

하지만 그 정도의 반박은 보다 강력한 반박을 불러왔으니, 그 시대에 계집애의 호적을 제대로 올리기나 했겠냐며 노파의 실제 나이는 알려진 것보다 예닐곱 살 이상 많을 것이며, 황씨의 경우도 등본에 기재된 출생 연도가 정확하다곤 말할 수 없다는 거였다. 어쨌건 논란의 소지가 많은 설이어서 지지하든 지지하지 않든 누구나 재미 삼아 한마디씩 보태는 데 열을 올렸다.

마지막이자 가장 슬프고 낭만적인 설은 그의 첫사랑 연인의 이름이 민주 씨였을 거란 추측이다. 미친 황씨가 고주임에게 변함없는 정열을 바치는 건 민주라는 이름을 가진 첫사랑에의 기억 말고는 설명할 길이 없다는 거였다.

"가난한데다 홀어머니 외아들이잖아. 보나마나 여자 집에서 죽어라고 반댈 했겠지. 또 다른 경우도 있을 수 있어. 가령 그의 첫사랑 민주 씨가 불치병에 걸려 일찍 세상을 떠났다든가…."

이 설은 지나치게 연속극을 많이 본 탓으로 치부되어 여러 설 중 지지자가 가장 적었다.

하지만 내게는 은근한 즐거움이 생겼으니, 고주임과 미친 황씨 사이에 실제로 교제가 이루어진다면 어떨까 하는 상상에 빠지는 일이었다.

'민주 씨, 나랑 결혼해!' 를 날마다 공개적으로 선포하는 남자와 '말만 하지 말고 날을 잡으라' 는 여자의 너스레가 어느 순간 순도 100%의 진실로 만난다면?

그럴 듯한 이야기가 날마다 하나씩 만들어졌다 사라지곤 했다. 그들에 관한 로맨스 창작 작업은 따분하고 지루한 아르바이트 시간을 견디게 하는 피로회복제였다.

*

그 이후 나는 미친 황씨를 떠올려 본 적이 없다.

1학년 여름방학의 그 아르바이트가 끝나고, 몇 번의 여름이 더 가고, 대학에서의 마지막 학기가 끝나도록. 물론 그를 고주임과 엮어 보는 상상놀이도 그때 이후 해 본 적이 없다. 졸업하고 여섯 계절이 넘도록 하루 종일 눈 뜬 올빼미처럼 독서실에 틀어박혀 지내면서는, 정규직으로의 취업이 가능할 것인지가 내 고민의 시작이고 끝이었으므로 더더욱.

그러는 사이 미친 황씨와 고민주 주임은 내가 상상했던 그럴 듯한 이야기 중 하나를 기어이 현실화시키고 만 것일까? 아님 존재감을 잃어가는 내 자신에 대한 위로가, 무시되고 함부로 굴려진 존재감을 손잡고 이겨 낸, 그들에의 환상을 보게 만든 것일까?

하긴, 그런들 저런들 뭐가 달라지겠는가? 내가 아직 그럴 듯한 이야기의 주인공이 되지 못한 마당에.

다이아몬드 더스트

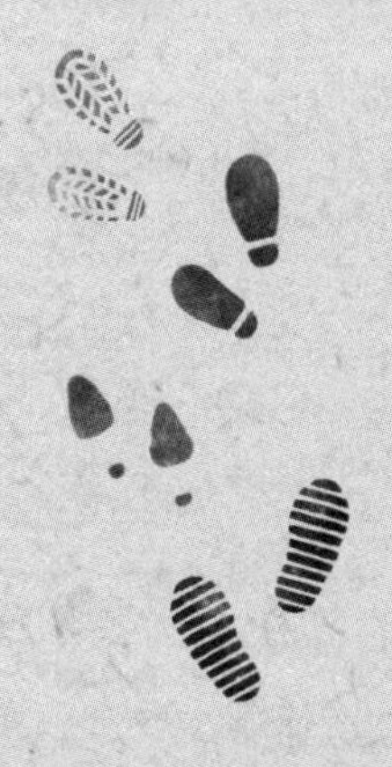

당연했던 일상이 갑자기 신비로움으로 뒤덮일 때가 있다.

그 순간 무심코 지나쳐 온 사소한 것들은 기적의 옷을 입는다. 라인기에 횟가루를 채워 넣고 또 하나의 네모 그리기에 막 나서려던 나는 놀랍고도 숨 막히는 광경에 전율한다.

수천 년 동안의 잠에서 깬 늙은 용이 긴 꼬리를 끌며 대지의 붉은 속살을 뚫고 막 승천하려는 찰나, 흰 서리를 겹겹이 두른 낙엽들이 부랴부랴 일어서 용맹한 전사처럼 그 앞을 막아선다. 더없이 팽팽한 긴장의 순간, 대기가 품고 있던 수천수만의 물 분자들이 햇살을 등에 업고 은색 빛방울로 마구 튀어 오른다. 축복처럼, 혹은 저주처럼.

"그런 건 내 평생에 처음 봐요. 세상에나, 속옷부터 양말까지

다 챙겨 입은 백골이라니!"

열 걸음 너머에서도 토씨까지 들릴 만큼 떠들썩한 안 선배의 목소리다. 하얀 굴광선 몇 개가 피워 올린 마법이 슬그머니 일상으로 가라앉는다. 11월 하순의 차가운 아침 햇살과 몇 겹의 단층 아래서 거무튀튀한 선으로 솟아오른 오랜 삶의 흔적들, 그리고 서릿발을 껴안고서 바람에 찢기던 마른 나뭇잎들이 늦가을 아지랑이 속으로 무심히 흩어진다.

"그러게 말일세. 하지만 더 웃기는 건 토목 감독 아니겠나? 신석기 시대인 유골 아니냐며 설쳐 대는 꼬락서니 하고는…. 헛헛헛!"

조사단장의 웃음소리가 무슨 신호라도 되는지 하나둘 사람들이 모여든다. 호기심과 기대감으로 반짝이는 수많은 눈빛이 그들을 에워싼다. 줄자를 들고 오락가락하던 보조원이든 호미로 조심스레 흙을 긁어내던 잡역부 아줌마든, 하나같이 입은 반쯤 벌리고 연장 든 손은 아무렇게나 떨어뜨린 채다.

사실 매일의 엇비슷한 작업에 너나없이 지치고 또 지루해 있던 터다. 유적으로서의 가치를 거의 상실한 토기 조각이 음료수 깡통처럼 발에 채이고, 화덕의 흔적이 하루에도 서너 군데서 발견되는 따위, 별로 특별할 것 없는 발굴조사가 벌써 2년째로 접어들고 있다. 지난가을 본격적으로 시작한 이래 또 한 번의 가을을 넘기게 되었지만, 상당한 규모의 마을 단위 집터라는 사실 이외에 눈이 확 뜨일 만큼 사료적 가치가 풍부한 유물은 별로 발견되지 않았다. 그 와중에 반갑잖은 사체 발견이라니….

“도대체 거기가 어디냐고요? 석 달 동안 누비고 다녔어도 시체가 틀어박혔을 만한 지형지물이 눈에 띈 적이 없었다니깐요.”

C공구 시굴조사 책임자였던 송 연구원이 사뭇 열띤 어조로 묻는다. 하자 있는 물건을 반품하러 온 소비자에게 오히려 짜증을 내며 따지는 간 큰 장사치 같다. 그럼에도 나 역시 동조자가 된다. C공구의 일부가 발굴조사 지역으로 확정되기까지 그와 함께 흘린 땀이 적지 않았다. 신석기 시대 움집터가 발견되는 바람에 산단 조성 사업이 계획보다 늦어지면서 발등에 불붙은 시공업체와 발주처인 시 당국의 은근한 압력이 커지는 데 맞서, 유적지로서의 가치가 분명한지 확인하기 위해 신발 밑창이 다 닳도록 샅샅이 뒤지고 다녔던 만큼. 지난여름은 유난히도 무더웠다.

“9-4구역 좌측 경계선의 급경사지 생각나? 누군들 그 우듬지 아래 그리 옴팍진 데가 있다는 걸 상상이나 했겠어? 게다가 공사 관련 사고도 아니고. 자네 책임 아니니 그리 열 낼 거 없네.”

“맞아. 경찰들도 고개를 절레절레 흔들더라구. 한 발 잘못 디디면 골로 가게 생긴 데를 어찌 그리 파고들어서 자리를 잡았는지 원! 아주 천혜의 요새가 따로 없더라니깐.”

전체 면적의 10퍼센트 내외에서 시굴조사가 이뤄지는 게 원칙이지만 혹시나 하는 맘을 버리지 못하고 야산으로 이어지는 데까지 꽤 깊숙이 살피긴 했다. 문제의 지점에서 십여 미터 아래를 경계선으로 삼았기에 거기까진 파고들 이유가 없었지만 말이다.

우리가 조금만 더 여유롭게 살폈다면 얼마간이라도 더 빨리 발견했을지 모를 일이긴 하다.

"자세히 설명 좀 해 봐요. 도대체 뭐하던 사람이며 죽은 지는 얼마나 됐는지…."

아침 작업이 막 시작되려는 판에 전해진 사체 발견 소식에 들떠, 이러쿵저러쿵 수많은 추측성 소문을 만들어 내던 이들이 언제, 어디서, 왜 등등 6하 원칙에 따른 궁금증을 그들의 발치에다 앞다퉈 쌓기 시작한다. 토목 담당 부서의 시대착오 덕에 경찰보다 먼저 현장 방문을 하게 된 두 사람의 증언이야말로 사건의 전말을 가장 정확히 전달해 줄 거라는 기대에 가득 차서.

"감식반원 말로는 죽은 지가 10년 이상, 어쩌면 20년 가까이 될 지도 모른다네요. 비닐 천막이 아니었으면 포클레인 기사가 마구 긁어 버렸을 테고, 그랬으면 쥐도 새도 모르게 영영 묻히는 건데. 산 사람 일도 바로 코앞을 모르는 거지만 이럴 때 보면 죽은 사람 일도 한 치 앞을 모르는 건가 봐요."

두터운 겨울 점퍼를 껴입은 채 살점 하나 없이 육탈된 해골이 참으로 그로테스크했다며 안 선배가 진저리를 친다. 걸치고 있던 옷가지들을 벗겨낼 때마다 소맷자락에서 또 바짓가랑이에서 뼛조각들이 우수수 쏟아지더라는 허풍스런 증언도 이어진다.

내가 첫 발견자였다면 어땠을까? 사람이나 동물의 삭은 뼛조각을 발굴 현장에서 발견하는 건 그리 특별한 일이 아니다. 하지만 형체를 완전히 갖춘 해골을 본 적은 아직 없다. 갑자기 궁금해진다. 징그러웠을까? 무서워 떨거나 비명을 지르며 도망쳤을까? 아님 토목감독과 별 다름 없는 순진함으로 고대인의 유골일지 모른다며 흥분해 날뛰었을까?

대학생 시절 충효동 도요지 근처에서 분청사기 파편을 처음 주웠을 때가 문득 떠오른다. 눌러 붙은 흙가루를 털어 내는 동안 손가락이 어찌나 부들부들 떨리던지…. 의지가 감정을 제어하지 못한다는 사실을 온몸으로 체득한 첫 경험이었다. 오래전에 철거된 공방에서 버린 미완의 도기 조각이었음을 알기 전까진 대한민국 도예사를 뒤흔들 대발견일지 모른단 기대감으로 온몸의 세포가 감전된 듯 짜릿짜릿했더랬다.

"십오륙 년 전쯤이면 산단 1차 개발 때랑 얼추 맞아 떨어지겄는디?"

안 선배 말이 끝나기도 전에 토를 단 건 세심한 삽질이 주 임무인 김 씨다. 한 개의 문화층이 드러날 때마다 거기에 숨겨진 흔적들을 하나라도 놓칠세라 주의 깊게 표층을 다지는 사람답게 지적도 예리하다.

"그래서들 당시 현장 인부 아니었나 하는 추측들도 하더만요. 아이엠에프 사태 이후 노숙자도 엄청 늘어나던 시기였으니 떠돌이 거지였을지도 모르고요. 여튼 거기서 살았던 것만은 틀림없어요. 대나무 살로 받쳐 엮은 비닐 천막도 그렇고, 버너며 컵라면 껍질이며 굴러다니는 소주병까지…."

"동사했구먼. 한겨울에 일 끝나고 가서 라면에다 소주 한 잔

걸치고 자다 얼어 죽은 거여."

김 씨의 단정이 그럴싸했는지 모두들 고개를 끄덕이며 나름의 추측을 보태기 시작한다. 자기와의 연관성이 어디서라도 하나쯤 건져질까 기대하는 사람들처럼 이상한 열기에 휩싸여, 산단 건설 바람이 불면서 쏟아져 들어왔던 외지인들 이야기가 줄줄이 이어진다. 조사단장이 각자의 구역으로 돌아가 하던 일을 계속하라고 독려를 하는 데도 설왕설래는 쉽게 가시지 않는다.

이 특별한 관심은 어쩌면 시간의 문제일지 모른다. 유골이 간직한 시간대가 우리 소유의 시간대와 겹친다는 것. 지나온 시절 어느 땐가 어깨를 스치며 체온을 나누고 어디선가 같은 바람을 맞으며 호흡을 공유했을 수도 있다는, 교류에의 막연한 기억 같은….

"쯧쯧, 식구들은 그동안 얼마나 애를 태웠을꼬?"

잡역부 아줌마들 사이에서 탄식 비슷한 소리가 흘러나온다. 원한이 얼매나 목에 찼겄어. 나 여그 있다, 소리 한 번 못 지르고. 문득 모두들 숙연해진다. 삽시간에 침묵이 찾아든다.

어디선가 휘파람 소리가 울린다.

깊은 산사의 편경 소리나 가을 숲 속을 휘도는 솔새 울음처럼 더없이 맑고 청신하다. 그런데도 어딘지 모르게 가슴을 쥐어짜는 듯한 처연함이 서려, 오싹 한기가 느껴진다.

전화 안 받고 뭐해요? 누군가가 내 어깨를 툭 친다. 그제야 휘파람 소리의 진원지가 내 호주머니임을 깨닫는다. 하필 이럴 때 전화벨이 울릴 게 뭐람? 자연의 소리에 반응하는 특유의 감성까지 장악해 버린 디지털 기술과 그 기술을 이용해 날 제멋대로 불러내는 발신인을 원망하며 한쪽 구석으로 물러난다.

"김광진 씨 실종 신고 냈던 분, 맞습니까?"

대뜸 질문이다. 고압적인 남자 목소리다. 뭐라 대답해야 할지 몰라 우물거리자 광산구 경찰서에 근무하고 있는 경찰관이라며 자신의 신분을 밝힌다. 뭔가 섬뜩한 기운이 목덜미를 짜르르 훑고 지나간다.

"아, 예에!"

짧은 감탄사 '아'에서 고양이 꼬리처럼 길게 늘어지는 '예에'로 이어지기까지 적잖은 시간이 필요했다. 자신의 질문에 대한 답이랄 수도, 그렇다고 본인 신분에 대한 인정이랄 수도 없는 애매한 대답 때문인지 경찰관이 다시 한 번 묻는다. 김광진 씨, 실종신고 내신 적 있죠? 사실 가물가물하다. 워낙에 낯선 이름이다. 누나에게 물어봐야지 않을까 싶은 생각이 앞선다.

지나간 옛날은 그저 묻어 두는 게 순리여. 파내서 알아본들 밥이 나와, 떡이 나와?

누나는 핀잔 한두 마디를 툭 던지는 걸로 그를 향한 내 막연한 동경, 혹은 기다림에 제재를 가하곤 했다. 문화재 관련 회사에 취직했다는 소식을 듣고도 그런 회사도 있었냐며 기뻐해 준 건 입사 첫날 딱 하루였다. 더구나 전국을 떠돌며 사시장철 흙먼지를 뒤집어쓰고 땅 파는 직업임을 알게 된 이후론 볼 때마다 한숨이 었다.

뼛가룬지 흙가룬지 구분도 안 되는 귀신 나부랭이나 쫓아다니는 꼬락서니 하구는. 그래가지구서 어디 산 사람 노릇을 하겄어? 그 모양이니 나이 서른이 다 되도록 쓸 만한 여자가 안 나타나는 겨.

그런 누나가 딱 한 번 조심스럽게 제안한 적이 있긴 했다. 입대 후 첫 휴가 때였던가, 아님 제대 직후였던가? 다른 때 같았으면 코웃음 치고 말았을 일을, 남자들만의 공간이 주던 독특한 허기짐에 힘입어 저질렀던 모양이다. 실종신고 같은 걸 하다니 말이다. 그렇더라도 군대 시절 따위 이젠 어렴풋이 전해 오는 고대의 설화처럼 아물거리는 마당에, 감상적인 충동에 이끌렸던 일탈이 특별한 기억으로 갈무리 되었을 리 만무다.

"김광진 씨로 추정되는 50대 남자분의 시신을, 아니 유골을 발견했습니다."

전화기 너머의 목소리는 마침내 수배범을 찾은 형사의 그것처럼 의기양양하다. 그제야 이름의 주인이 희미하게 떠오른다. 그것도 얼굴이나 모습으로서가 아니라 발자국 소리로. 가로가 긴 네모들이 첩첩이 쌓인 가파른 계단에 쩌렁쩌렁 울리던 구둣발 소리, 그걸 따라잡으려고 한 발짝 계단을 오르면 세 배, 네 배의 속도로 멀어져 갔다.

누나에게 알려야 할까 말까? 사실 웃기는 일이다. 누나에게 그가 무슨 상관이람? 물론 그가 아니었다면, 얼굴도 이름도 모르는 그가 느닷없이 지워 준 '나'라는 의외의 짐이 아니었다면, 누나는 분명 다른 삶을 살았을 것이다. 그리고 그랬다면 나 역시도.

겨울이었다.

진눈깨비가 선거용 벽보에서 찢긴 종잇조각들과 어울려 시시덕대며 바람 속을 헤집고 다녔다. 그리고 지독하게 추웠다. 하루 종일 그의 손에 이끌려 시장통을 쏘다닌 덕에 볼은 시퍼렇게 얼고 발바닥은 따가웠다. 그럼에도 흥분과 설렘은 좀체 가라앉지 않았다.

이제 곧 초등학생이 될 내게 그가 안겨 주는 선물들은 경이로움 그 자체였다. 그가 뭔가 하나를 안겨 줄 때마다 난 다짐하곤 했다. 날 거지라고 놀리던 녀석들에게 필통이며 색연필, 고무지우개며 연필깎이, 네모 칸이 수없이 그려진 공책 등을 하나하나 꺼내 보이며 으쓱대리라. 왕관 모양의 금장식 뺏지가 달린 외투를 입고선 더럽다며 날 피하던 계집애들 앞에서 영국 신사처럼 우쭐거리리라.

그렇게나 한껏 부풀었던 나를 마침내 하늘 높이 띄워 올려준 건 최신식 노래방에 데려가 주겠다는, 전혀 예상치 못한 그의 제안이었다. 게다가 그는 부를 수 있는 노래는 뭐든 죄 불러도 된다고, 얼마든지 오래 있어도 좋다고 손가락까지 걸어 주었다. 그의 뒤를 따라 지하 계단을 내려갈 때 난 너무 감격스러워 오줌을 지릴 뻔까지 했다. 부모들 모임에 따라가 기껏해야 만화영화 주제곡이나 한두 번 불러 봤을 녀석들의 잘난 척은, 이제 내 무용담 앞에서 더는 콧대를 세우지 못하리라.

"아이구야, 아직 청소도 안 끝났는디!"

계단을 채 내려가기도 전에 환영인지 타박인지 모를 인사말이 우릴 맞았다. 여잔지 남잔지 잘 구분되지 않는 걸걸한 음성이었다. 목소리의 주인은 바닥을 물걸레로 닦는 중이었다. 그 사람은 양쪽으로 여러 개의 방을 거느린 어두운 복도 한가운데서 주황색 불빛을 뒤집어쓴 채, 물이 질질 흐르는 대걸레를 들고서 하얀 이를 드러냈다.

어서 오씨요. 분명 반기는 기색이었을 테지만, 투박한 사투리까지 더하고 보니 문득 무서워졌다. 뿔 달린 도깨비, 박쥐 옷을 입은 드라큘라, 두 눈이 퀭한 할로윈 호박, 그리고 얼굴 없는 달걀귀신. 만화영화나 그림책에서 본 온갖 무서운 형상들이 그 주변에서 맴돌았다. 난 그의 등 뒤에 바짝 달라붙어 온몸을 오그렸다.

"금방 정리해 드리께요. 헤헤"

곰살스럽게 웃는 표정이 다행히도 사람다워 보였다. 그것도 여자. 깜깜해서 그랴? 금방 눈에 익을 거여. 내 머리통을 가볍게 쓰다듬으며 지나가는 손길이 제법 따스하기까지 했다. 그의 허리춤을 붙잡고 있던 손가락에서 스르르 힘이 빠져나갔다. 어떤 노랠 먼저 부를 건지 생각할 여유조차 생겨났다. 시시한 동요나 만화영화 주제가 따윌 불러선 자랑거리가 되지 않을 거란 허영심까지도.

그는 여자에게 여러 가지 음료수 캔에다 과자며 땅콩, 쥐포 같은 주전부리를 몽땅 갖다 놓게 하고선 꼼짝없이 앉아 내 노래를 들었다. 가끔 박수를 치고 더 자주는 졸면서. 텔레비전을 통해 배운 유행가나 연속극 주제가는 물론이고 생일축하 노래, 초등학교 졸업식 노래까지 고래고래 소릴 지르며 쉼 없이 불러 댔다. 그의 박수 소리가 들리면 목청을 더 높였다.

아무리 빨아도 줄지 않는 요술사탕처럼 시간 개념이 도무지 없는 노래방 기계 또한 나를 흥분시켰다. 남은 시간을 표시하는 숫자등이 10을 삼켰다 토해 냈다 법석을 떨다가 어느 순간 40으로 바뀌 물고선, 한순간도 꼼짝 않고 그 자리를 지키고 있었던 것처럼 시침을 떼고서 눈을 깜박거렸다. 시간 요정이 그 안에 살고 있음에 분명했다.

아빠도 좀 불러 봐. 캑캑거리며 그에게 그렇게 부탁했던가? 온갖 노랠 다 부르고 애국가까지 부르고 나자 더는 부를 노래가 없었다. 조금쯤 지겨웠다. 지루하기도 했다. 어쩌면 지쳐 졸았는지도 모르겠다. 담배 한 갑 사 올게, 쪼금만 기다려! 그의 목소리가 아스라했다. 나도 따라갈래. 꿈결이었는지 아님 졸며 떼를 썼던지는 분명치 않다. 당장 따라가지 않으면 안 될 것 같은, 뭔지 모를 불안감에 이끌려 허겁지겁 뒤를 쫓았다.

거기서 기다려!

단호한 명령어에 멈칫했다. 가파른 계단을 이루며 겹겹이 쌓인 긴 네모들이 까마득했다. 그의 구둣발 소리가 울려 퍼졌다. 텅 터엉! 마치 영원으로 이어진 진공의 통로 한가운데 남겨진 듯한 막막함이 날 압도했다. 지하계단으로 비껴든 늦은 오후의 햇발 속으로 그가 미끄러져 나갔다.

휜히 뚫린 네모진 구멍을 한 줄 사선으로 가르며 눈부신 빛 그물이 날 막아섰다. 휘황한 무지갯빛 장막이었다. 한 발짝도 더 내디딜 수 없었다. 기다려! 난 앵무새처럼 그의 말을 흉내 내보았다. 그건 곧 그가 돌아오리라는 믿음의 고백, 혹은 그와 나 사이를 이어 줄 약속의 언어 같은 것이었다.

기다려, 기다려어…!

내 목소린 메아리가 되어 휘황한 빛 그물을 뒤흔들었다. 그게 수분을 머금은 먼지들인 걸, 햇빛을 반사하며 널뛰는 촉촉한 먼지 알갱이들인 걸, 그때 어찌 알았겠는가? 누군가는 그걸 다이아몬드 더스트라 했다지. 방향 없이 떠도는 먼지들에게 그토록 반짝이는 이름을 안겨 줄 수 있었다면 그의 유년 역시 적잖이 아팠으리라.

잠은 깊고도 질겼다.

"죽든 안켔지라?"

누군가가 나를 흔들었다. 눈꺼풀을 들어 올릴 수 없었다. 너무 무거웠다. 몸을 잔뜩 웅크리고 고개를 저었다. 온몸이 저릿저릿했다. 시장통을 몇 바퀴 돌아 그런지 무릎도 발목도 뻐근했다.

"오메오메, 징그러라! 숫처녀한데 어머니라니? 길바닥에서 다 죽어 가는 애기를 그냥 지나칠 수 없어, 앞뒤 안 보고 델꼬 왔구마는."

낯선 그런데도 어딘지 낯익은 투박한 사투리가 귓전을 따갑게 때렸다. 어둠이 내려 더는 눈부시지 않은 계단을 스무 번도 넘게 오르락내리락하는 동안 참참이 내게 알은 체를 해주던 노래방 주인아줌마, 그러니까 누나의 목소리였다.

아가, 그러다가 발병 나겄다. 설마 느그 아부지가 널 데릴러 안 올라드냐? 생판 낯모르는 아일 갑작스레 떠안게 된 어이없는 상황을 누나 스스로도 어떻게든 설명 받고 싶었을 것이다. 시간이 흐를수록 과잘 더 먹을 테냐, 노랠 더 부르고 싶냐 하는 식의 선택 가능한 물음에서 몇 살이냐, 집이 어디냐, 전화번호가 뭐냐 등의 답이 분명한 신상 정보 캐기로 질문의 성격이 바뀌어 갔다.

하지만 내가 해 줄 수 있는 답은 이름과 나이가 고작이었다. 내가 살던 그 골목에 데려다 놓아주면, 허구한 날 나가 놀던 개울가 쓰레기장이며 기웃거리다 쫓겨난 어린이집, 그리고 동네에서 나랑 제일 친한 멍멍이 배꾸까지 보여 줄 수 있겠지만, 아무리 해도 누나가 바라는 방식으론 설명할 수가 없었다. 아빠의 이름이 뭐냐고 물어왔을 땐 누나가 조금 바보스럽단 생각마저 들었다. 아빠가 아빠지 무슨 또 다른 이름이 있단 말인가?

"폐렴이에요. 최소한 일주일은 입원해야 되는데, 보호자도 없는 데다 애 신원도 확인할 수가 없으니 저희로선 어떻게 해 드릴 수가….”

분명 나를 두고 하는 말이었다. 폐렴이 뭔지 모르지만 입원이라는 말에 난 몹시 신이 났다. 폐렴 같은 고급스런 병 이름을 알 리 없는 녀석들에게, 기껏해야 감기 따위로 주살 맞고 와서는 절대로 울지 않았다고 으스대던 녀석들에게, 하루 이틀도 아니고 무려 일주일이나 병원에서 살았단 얘길 늘어놓을 수 있다니. 하지만 자랑스러움도 잠시, 그걸 함께 기뻐해 줘야 할 아빠의 목소리가 들리지 않는다는 데 생각이 미쳤다. 분명 아빠의 그림자를 뒤쫓아 정신없이 나섰는데, 절대로 놓쳐선 안 된단 생각에 마구 내달렸는데….

“고런 야박스런 일이 어딨다요? 어린 것이 열이 펄펄 끓고, 생사를 넘나드는 걸 뻔히 봄시롱도 보호자 타령이라니. 어찌 됐거나 병원비만 내면 될 거 아녀요? 내가 책임진다고요.”

“일단 처치는 해 보지요. 입원 수속 하세요.”

누나는 의사가 자릴 뜨자마자 날 닦달해 댔다. 눈 깜짝거리는 거 봉께로 깨났구만. 의뭉 떨지 말고 일어나. 카운터에 가만 앉아서 기다리랬드니 뭐러 기어 나갔어? 나갔음 내 눈에 안 띄게 아조 멀리 가불제만, 떠억 계단 끝에 꼬부라져 자빠졌는 건 또 뭔 심술이여? 일곱 살 꼬맹이가 감당하기엔 너무 버거운 질문들이었다.

그때 내가 울었던가? 분명 아빠로 보이는 남자의 그림자가 계단참을 스쳤고, 그래서 아무 생각 없이 뛰어나갔고, 춤추듯 앞서

가는 그림자를 도저히 따라잡을 수 없었고, 어두운 골목길에서 혼자 두리번거리며 아빨 목 놓아 불렀고, 노래방에 두고 온 가방 생각이 문득 났고, 그리고 그 다음엔…?

제토 작업이 끝난 벌판은 막 목욕을 하고난 갓난아이의 볼처럼 뽀얗고 또 붉다.

그 위로 실핏줄처럼 드러난 거무튀튀한 선들, 라인기가 한 바탕 지나가고 나면 광활한 대지는 하얀색 무늬로 수놓여 꽃처럼 피어날 것이다. 동그랗거나 네모지거나 긴 타원을 반으로 자른 듯한 조각배 모양이거나. 다양한 무늬의 흰 꽃들은 이내 아줌마들의 호미 아래서 화덕으로, 주혈(柱穴)로, 토벽의 흔적으로 새겨져 각각의 용도에 맞는 이름을 얻게 되겠지. 수천 년 동안 그 누구에게도 기억되지 않았던 것들의 이름은 앞으로 또 얼마나 남겨져 있게 될까?

보존 지역으로서의 가치를 입증하지 못하면 2년 가까이 이어진 발굴과정은 구획별 사진으로 정리되고 몇 장의 보고서와 함께 기억의 지층으로 사라지리라. 돋을새김으로 드러났던 수천 년 전의 삶의 흔적들 위론 또다시 흙이 덮이고, 그 위로 철근 파이프가 콘크리트가 샌드위치 판넬이 겹겹이 쌓아 올려지겠지.

"직접 오셔서 확인해 보시겠습니까?"

"아, 네. 그러니까 거기가…?"

"장덕 산단 건설부지 근처라 찾기 어려우실 텐데."

순간, 서너 사람이 동시에 말을 건네 오는 것처럼 귀가 웅웅 울린다. 송곳 같기도 혹은 바늘 같기도 한 가늘고 날카로운 무엇이 정수리를 푹 쑤시고 들어와 두개골에서 목뼈를 지나 척추를 관통하면서 뼈 마디마디를 에이는 것만 같다. 도저히 말을 이어갈 수 없을 만큼 아리다. 휘청거리는 무릎에 꽉 힘을 준다.

안 선배와 조사단장을 둘러싸고 죽은 이의 신상에 관한 스무고개 놀이에 빠져 있는 현장 인부들에게서 십여 미터쯤 더 멀어진다. 신분증이 있더라고? 사진이고 글씨고 다 지워져 육안으론 확인하기 어려웠지요. 통장도 가지고 있습디다. 을매나 들었던가? 그걸 낸들 알아요? 쨍쨍 울리던 소리들이 차츰 줄어 웅얼거림으로 바뀌더니 어느 순간 바람 소리에 뒤섞여 제 영역을 잃어버린다. 소리에도 소실점이 있는 모양이다.

"경찰병원 영안실로 오시게끔 조처해 드릴 수도 있습니다만. 타살의 흔적이 없고 또 워낙 오래된 유골이라 현장보존이 별 의미가 없다는 게 저희 경찰 측 판단입니다. 양해만 하신다면 편의를 봐드릴 수 있다는 말씀이지요."

내 머뭇거림을 그는 장소 찾기의 어려움에서 기인한다고 본 모양이다. 아니면 빨리 현장 철수를 하고 싶어 유족에게 호의를 베푸는 척 딴전을 부리는 것일지도. 칙칙한 구름 덩어리 하나가 흰 굴광선들 위로 그늘을 드리운다. 희끗희끗 뭔가가 흩날린다. 횟가루인지 흙가루인지 얼른 구분되지 않는다. 손등에 내려앉은 그것이 차가운 물기를 남기고 이내 사라진다. 진눈깨비다. 겨울이 바짝 다가왔음을 알리는 전령처럼 아무 소리도 없이 슬그머니 날아와 땅에 닿기도 전에 몸을 감춘다. 그러면서도 제 흔적 남기는 건 잊지 않고. 그 무엇이 진눈깨비에게 흔적에의 집착을 가르쳐 주었을까?

"장덕 산단이 어디쯤인지 압니다. 정확한 위치를 알려 주시면 가겠습니다."

설마 아니면 혹시나 싶은 마음으로 경관에게 위치 설명을 부탁한다. 아닐 것이다. 아니어야 한다. 그는 이런 식으로 나타나서는 안 된다. 환한 빛살 속으로 사라져 간, 영원으로 이어진 진공의 통로 한가운데다 쩌렁쩌렁 울리는 발소리를 남기고 간, 지금껏 만난 어떤 남자보다 덩치가 큰, 가늠할 수 없는 내 삶의 거대한 공백인 그. 그는 이런 방식으로 메워져선 안 된다. 절대로 그럴 수 없다.

"아빠가 여, 여기서 기, 기다리랬는데…."

나도 모르게 말을 더듬거렸다. 눈빛이, 막 터져 나오려는 비명을 목구멍 속으로 애써 욱여넣고 있는 듯한 누나의 얼굴빛이, 너무 무서웠다. 파출소를 거쳐 동사무소며 구청 등 여러 공공기관을 돌고 돈 끝에 고아원에다 날 맡긴 지 얼마 되지 않은 누나로선 악몽이 따로 없었을 것이다. 하지만 그녀의 감정 상태를 살필 만큼 충분히 자라지 못한 나는 행여 내쳐질까 그것만이 두려웠다.

"길을 잃으면 꼼짝 말고 거기서 기다려야 한다고, 울고불고 돌아다니다간 영영 못 찾는다고, 아빠가 그랬어요."

또박또박, 더는 더듬거리지 않으면서 꼭 해야 할 말을 끝내고 나자 눈물이 핑 돌았다. 다시 노래방을 찾을 수밖에 없었던 내 당위성을 입증하기 위해 최선을 다했다는 안도감도 한몫했을지 모른다. 하지만 여러 개의 신호등을 지나고 육교를 건너고 수많은 골목길을 돌고 돌아, 은성 노래방의 간판을 찾아내기까지 얼마나 가슴 졸이고 두려웠는지에 대해선 한마디도 말하지 않았다. 마이크를 쥐고서 별빛 꼬리 음표를 내뱉는 예쁜 여자 그림을 멀리서 발견했을 때, 두 다리를 뻗고 엉엉 소리 내 울고 싶었다는 말 또한 절대로 하지 않았다. 언젠가 날 데리러 올 아빠에게, 내가 얼마나 똑똑하고 자랑스러운 아이인지 알려 주려면 그래야 한다고, 그래야만 한다고 생각했다. 난 얼른 손등으로 눈을 훔쳤다. 행여 누나에게 눈물 따위를 보여서는 안 될 것이므로.

"너를 어쩔꺼나!"

누나는 한숨을 푹 내쉬었다. 지하 계단으로 내려가는 벽에 가만히 붙어 있겠다고, 책가방을 꼭 매고서 꼼짝하지 않겠다고 난 몇 번이고 다짐해 주었다. 그가 날 찾아오지 못할 곳으로 또다시 쫓겨나긴 정말로 싫었다.

"아줌마, 제에발!"

누나가 당장이라도 한 대 갈기고 싶단 표정을 하고서 날 째려보았다. 똑같은 실수를 또 저질렀단 사실을 깨달았을 땐 이미 늦은 시점이었다. 요즘이야 노처녀랄 수도 없는 스물아홉 나이의 누나는 당시 내 눈엔 암만 봐도 아줌마였다. 걸걸한 음성에 투박한 사투리, 낡은 청바지에 헐렁한 티셔츠를 받쳐 입고서 생머리를 질끈 동여맨 털털한 차림새 등이 오갈 데 없는 아줌마였던 것이다.

"아줌마 아니랬지? 머리통에 피도 안 마른 게 어디서 서른도 안 된 꽃처녀한테 아줌마라?"

입으로는 나무라면서도 누난 컵라면 봉지를 뜯어 뜨거운 물을 부었다. 그날 거기서 얻어먹은 라면 맛을 평생 잊을 수 있을까? 언 손을 녹여 주던 뜨겁고 매콤한 국물을, 푸근한 잠 길로 데려다준 달고도 쫄깃한 면발을….

"질기기가 고래 심줄보다 더한 놈, 살다 살다 너같이 징헌 놈은 첨 본다."

누나는 결국 나를 자신의 운명 일부분으로 받아들였다. 중학교 시절, 그리고 대입 검정고시를 준비하던 시절, 은성 노래방 카운터는 내 방이었고 독서실이었고 아르바이트 장소였다.

그러는 사이 내가 기다리는 발자국의 소리가 조금씩 달라져 갔다. 비싼 술을 더 많이 시킬 것 같은 발소리, 여성 도우미를 은밀히 청해 올 것 같은 발소리, 호기롭게 따로 팁을 쥐어줄 것 같은 발소리…. 눈부신 빛의 장막에 부딪혀 되돌아오던 구둣발 소리는 더 이상 내 귓전에서 울리지 않았다. 휴학과 복학을 반복하며 어렵사리 대학을 졸업하기까지, 그리고 누나가 두 번의 이혼 경력을 자랑하는 나이 지긋한 남자에게 시집을 가면서 낡고 지저

분해진 노래방을 젊은 여자에게 세놓을 때까지.

"어머나, 이쁜 오빠! 오늘도 혼자 오셨어?"

'뮤직살롱 실버스타' 로 간판을 바꿔 단 노래방의 새 여주인은 누나와 달리 나긋나긋했다. 한 달에 서너 번 이상 들르는 단골에 대한 예우 또한 각별했다. 무슨 사연 있나 봐. 아님 내가 보고 싶어서? 손님이 뜸한 날엔 코맹맹이 소릴 내며 술병을 들고 와서는 은근슬쩍 내 허벅지를 쓰다듬기도 했다.

하지만 여자에게 말해 줄 수 없었다. 계단 때문이라고는. 바닥재나 벽지는 물론이고 조명이며 간판까지 현대적 감각에 어울리게 완전히 리모델링한 노래방에서 유일하게 원형이 그대로 보존된, 때 낀 대리석 계단 때문이라고는. 수천 년 전, 신석기 시대의 수혈 주거인들이 만들어 냈던 것과 똑같은 방식으로 지상과 지하를 잇는 중첩된 네모들. 그 사이로 빛살이, 바람이, 그리고 그의 발소리가 휘돌아 나갔기 때문이라고는.

300여 미터 전방에 둘러쳐진 노란 띠가 보인다.

출입 제한구역이라 써 놓았겠지. 현장 사무소 주차장에서 보일 듯 보이지 않는 에움길 안쪽, 마른 나무들이 오종종 모여 있는 C공구 9-4구역 좌측 경계선을 이루는 숲 속, 그 주변으로 사람들이 분주히 오간다. 한쪽 구석엔 하늘을 향해 주먹을 치켜 올린 포클레인이 야단맞은 사춘기 소년처럼 씩씩거리고 있다. 진눈깨비 알갱이들이 차창에다 다투어 머리를 박는다. 깨진 머리통에서 허연 진물이 질질 흐르는 걸 보면서도 쉬지 않고 몰려든다. 존재증명을 해야 하는 의무감에 시달리기라도 하듯. 어쩌면 부지런한 와이퍼 탓일지 모른다. 지워진 흔적은 기억을 만들어내지 못하니까.

사이드 브레이크를 막 채우고 나자 호주머니에서 휘파람 소리가 울린다. 누나다.

“오늘 매형 생일인 거 알제? 저녁시간 딱 맞춰 와야 써. 혹시 케잌 살 거면 뭐시냐, 치즈 케잌으로 사고. 넥타이는 많으니깐 선물하고 싶음 가죽장갑이나 사오든가.”

속사포 같이 쏘아 대면서도 선물까지 미리 지정해 주는 섬세함을 놓치지 않다니! 그런데, 누나…. 머뭇머뭇 한마디를 꺼내려는데 숨도 쉬지 않고 다음 말을 이어 간다.

“참 그라고 조합 총무가 또 왔다 갔어. 우리 노래방 땜에 상가 전체 공사 진행이 안 된다고 제발 도장 좀 찍어 주랴. 니 허락 없인 안 된다고 버텼더니만 전화번호 좀 갈쳐 주라고 애걸복걸 하드라. 혹시 연락 갈지 몰라. 나는 니 하잔 데로 할 테니깐 그리 알고.”

뚝, 그리고는 끊긴다. 안다. 누나가 무슨 말을 하고 싶은지. 그 계단 뜯어다가 박물관에라도 앉혀 놓제 그러냐? 고고학자 김의영이 발굴한 선사시대 유적이라고 해 두면 딱이겄네. 에둘러 비아냥거리던 말 대신, 아예 결정권을 내게 넘김으로써 실제 재산권 행사에 아무 권리가 없는 나의 위치를 확인시키려는 누나 나름의 계산속임을. 단정하고 깨끗한 상가를 거느리고 우뚝우뚝 들어서는 아파트들을 마주 보며 낡고 퇴락한 주택지역의 골목길 입구에서 어떻게든 살아남으려고 분투 중인 은성빌딩 상가 번영회의 자구 노력에 도움은 못 줄망정 걸림돌이 되고 있으니….

시동을 끄고서 한참이 지났는 데도 그저 멍하니 앉아만 있다. 경관 하나가 고개를 빼물고 도로 쪽으로 시선을 주고 있는 게 보인다. 하품이 나는 걸 겨우 참고 있다는 듯 지루한 표정이다. 약속 시간에서 어느새 10분이 훌쩍 지나 있다. 그에게서 재촉 전화가 걸려온다.

"언제쯤 도착하십니까? 별다른 특수 사항이 없어 현장정리를 해야겠는데요."

"거의 다 왔습니다. 조금만 더 기다려 주십시오. 죄송합니다."

후우, 심호흡을 하고 차문을 연다.

별안간 구름이 갈라지며 한쪽 하늘이 툭 터진다.

빛살이 폭포처럼 쏟아져 내린다. 횟가루, 흙가루, 말라 부서진 나뭇잎의 잔해들, 그리고 진눈깨비. 눈부신 군무가 한바탕 어우러진다. 무지갯빛으로 반짝이는 휘황한 빛 그물이 내 앞을 막아선다. 후우, 다시 한 번 크게 숨을 몰아쉰다.

저벅저벅, 젊은 사내의 발소리가 그 장막을 찢고 나아간다.

여전히, 거기

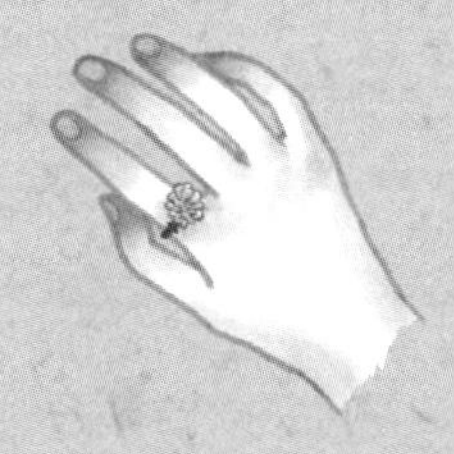

1

나는 돌무덤 너머에서
머리가 헝클어진 한 소녀를 만났다.

벌써 며칠째 똑같은 꿈을 꾸고 있다. 깨어나면 신기루처럼 사라지게 마련인 꿈이 여러 날 반복되면서 내 현실감에는 균열이 일었다. 아내가 잔소리를 늘어놓는 동안, 끝내 떠오르지 않던 이름을 더듬으며 꿈의 뒷자락을 좇아 헤매었다.

"어머니 돌아가신 그해에 팔아 치웠어야 해. 그랬으면 은행 이자만 해도 얼마야?"

칠흑 같은 밤이다. 낮게 엎드린 기와지붕도 대청마루도 부엌도 어둠에 푹 잠겨 있다. 뭔가 펄럭인다. 하얀 조각 천들이다. 마당을 가로지른 빨랫줄 위에서 깃발처럼 나부낀다. 어디선가 낮은 웅얼거림 소리가 들려온다. 노래 같기도, 울음 같기도, 비명 같기도 한…. 온몸에 소름이 확 돋는다.

"이번이 어쩜 마지막 기회야. 이젠 주택으로 세 들어올 사람도 없구, 그 원룸사업자 아니면 사겠다고 나설 사람도 없다구."

조각 천들 사이로 숨어든다. 바람 냄새, 물 냄새, 그리고 아기 냄새…. 돌아보니 기저귀들로 가득한 숲이다. 바람결에 휩쓸리는 허연 기저귀들. 그것들이 별안간 가지를 내뻗는다. 사방팔방에서 수도 없이 뻗쳐 나온다. 뼈마디가 울퉁불퉁한 손가락 같다. 쭈글쭈글 오그라든 물갈퀴 같다. 그것들이 나를 향해 쭉쭉 뻗어 온다. 다투어 내게로 달려든다. 맹렬하다. 억세고 사납다.

"또 한 번 뒷걸음질 치면 그땐 아주 마당을 까뒤집고 말 테야. 도대체 뭘 숨겨 놨는지 캐 봐야겠어."

도망친다. 마당을 가로질러, 감나무 가지 위로 박차고 올라, 돌담을 발판 삼아 골목길로 뛰어내린다. 마구 달린다. 죽을힘을 다해 뛴다. 뭔가에 걸려 넘어진다. 까만 운동화, 아무렇게나 헝클어진 머리카락을 술 장식처럼 달고 있는 이상한 운동화다. 무서운 손가락들이, 음산한 물갈퀴들이 내 뒷덜미를 낚아채려 한다. 비, 비켜! 운동화는 꿈쩍도 하지 않는다. 이름을 불러 줘야 한다, 흐트러진 머리카락을 쓰다듬으며. 그런데 절대로 생각나지 않는다. 떠오를 듯 떠오르지 않는 이름. 답답해 가슴이 터질 것만 같다. 제, 제발!

"값나가는 유물 따위 있을 리는 만무고…. 혹시 비밀스런 사체나 유골 같은 거라도 묻혀 있을라나?"

"이 사람이 못할 소리가 없어."

"호오! 어느 하늘나라에 가 계시나 했더니만 내 말을 듣고는 있었나 봐? 좌우간 오늘 저녁이야. 서류 챙기는 거 잊지 말구."

눙치며 웃는 눈은 일견 장난스러워도 보이지만 아내의 야무진 입매는 내게 선택의 여지가 없음을 주지시킨다. 계약에 필요한 서류들을 챙겨서 약속된 시간에 부동산 중개업자 사무실로 가야 한다는.

참으로 묘하다. 여전히 어머니와 함께 살고 있는 듯한, 아직도 내가 사춘기 소년인 것만 같은 느낌이라니. 그 집을 지키려고 반생을 노심초사했던 어머니와 그 집을 팔아 없애려고 지난 수년간 전전긍긍해 온 아내가 왜 문득 동일한 한 사람으로 느껴지는지 모르겠다.

2

그녀는 아이가
그곳에 더 이상 없는데도 노래를 부르고 있었다.

잘 안다고 생각했는데 막상 낯설다.

담장 안쪽으로 히말라야시다가 짙푸르게 도열해 있던 숭의 중학교 자리엔 아파트 숲이 빽빽하다. 멱을 감고 빨래도 하던 길 가까이의 냇물은 높고 튼튼해진 제방 저 아래서 시멘트로 구획 지은 물길을 따라 옹색하게 흐른다. 머리칼을 풀어헤치고 천변 그늘을 촉촉이 적시던 수양버들은 모두들 어디로 쫓겨났는지….

광주시 동구 학운동 814번지, 분가하는 부모님을 따라 배고픈다리 건너 수정맨션으로 이사하기 전까지 살았던 내 유년의 집. 할아버지의 집, 그리고 어쩌면 그녀, 명이 누나의 집이기도 했을…. 집집마다 달고 있는 명패 어디에도 그런 주소는 없다. 하긴 도로명 주소로 바뀐 지가 한참 전이다.

길 잃은 아이처럼 망연해진다. 눈감고도 찾을 수 있는, 세밀한 약도를 그려 낼 수도 있는, 내가 가장 잘 아는 그곳이 아니다. 변했을 거라 짐작은 했지만 내 유년의 전부를 담고 있는 고향 동네 한가운데서 이렇듯 당황하게 될 줄은….

커엉 컹! 어디선가 개가 짖는다. 캉캉! 이웃집에서, 연이어 또 다른 집에서도. 녀석들은 번갈아 가며 서로의 소리를 이어받아 목청을 돋운다. 왠지 발걸음이 위축된다. 어디서든 벌컥 대문이 열리며 수상쩍어 하는 시선이 날아들 것만 같다.

그날 밤에도 그랬다. 동네 개들이 질세라 나서서 우리의 출현을 사방팔방 광고해 댔다. 아버지와 나는 소문의 흔적을, 아니 그보다는 그 모든 게 헛소문이었다는 증거를 찾기 위해 손전등도 켜지 않은 채 조심조심 나아가고 있었다.

"하, 고 녀석들! 없던 귀신도 도망치겠네."

도둑고양이처럼 잔뜩 구부리고 살금살금 걷던 아버지가 허리를 폈다. 이미 잠입이 탄로 난 이상 그렇게까지 몸을 사릴 필요가 없다 싶었을 것이다. 그가 성큼성큼 현관문으로 다가갔다. 어머니가 어디선가 물고 온 이상한 소문이 아니었다면, 그게 누나와 관련되었으리란 추측을 불러일으키지 않았다면, 난 그날 밤 절대로 아버지를 따라 나서지 않았을 것이다.

"별 해괴한 소문이 떠돈대요. 어째서 집이 그렇게도 안 나가나 했더니만."

가을 이사철이 되기 전에 할아버지 집의 수리를 마치려고 어머니는 몹시 노심초사했다. 공사가 끝난 집은 새로 지은 집 못잖은 외관으로 사람들의 눈길을 끌었다. 당장이라도 이사 들어오겠단 사람이 적지 않았다. 정작 계약하기로 약속한 시간에 이런저런 핑계를 대며 나타나지 않는 게 문제였다. 어머니는 한동안 속을 끓이더니 결국 그 이유를 알아냈다.

"밤마다 처녀귀신이 집안을 배회한다나 어쩐다나…! 말도 안 되는 소문이 나돈다지 뭐여요?"

"아버님 돌아가시고 집 비워 논 지 고작 서너 달이구만. 그동안도 집수리 하느라 사람 왕래가 끊인 적도 없구…. 사실이 아니니 금방 가라앉을 거요."

어머니의 걱정을 무마시키려는 아버지의 단순한 추론은 어머니의 사설을 끊지 못했다.

"앞집 묵이 할매한테 가 봤지요. 아다시피 그 노인네가 동네 소식통이잖우. 한밤중에 희끄무레한 그림자가 들락거리는 걸 동네 사람들이 한두 번 본 게 아니라며 이 사람 저 사람 들먹이더만요. 근데 직접 봤냐니깐 갓난애 울음소리를 두어 번 들었다는 둥, 소문 땜에 오금이 저려서 한밤중엔 변소에도 못 간다는 둥 어물거리지 뭐여요? 번듯하게 집 고쳐 놓으니깐 행여 자기네 상하방세 안 나갈까 봐 오기 부리는 게 틀림없어요."

"그렇담 더더욱이나 신경 쓸 필요 없잖소. 그 집 상하방만 나가믄 조용해지겄구만."

"당신처럼 단순하게 세상을 살면 얼마나 좋겠수? 그 오기 부리는 내막에는 뭔가가 있어요. 그 기집애와 관련해서 무슨 냄새를 맡은 거라구요. 나한테서 뭐라도 우려낼 심산이 아니고서야…."

그 기집애란 말에 모든 신경이 귀로 집중되었다. 어머니가 비아냥거리는 어투로 그렇게 지칭할 사람은 딱 한 사람, 명이 누나 뿐이었다.

병실이 그날따라 몹시도 휑했다. 열린 창문 하나 없는데도 어디선가 찬바람이 쉴 새 없이 들어왔다. 수액을 주렁주렁 팔에 매단 채 모로 돌아누운 할아버지의 등이 무척이나 가늘어 보였다.

누나가 보이지 않았다. 붙박이 가구처럼 할아버지 침상 곁에 늘 앉아 있던 그녀, 밤늦은 하교 시간에 들르는 내게 먹을거리와 함께 환한 미소를 한 아름씩 안겨 주던 누나가 눈에 띄지 않는 거였다. 옷걸이에 걸려 있던 노란 스웨터며 소지품을 넣어 두는 작은 가방, 물 컵이며 칫솔 따위 개인용품도 무엇 하나 남아 있지 않았다.

"그깐 배은망덕한 기집앤 잊어버리세요. 잠시 쉬라고 보냈더니 집안에 있는 귀중품을 죄 싹쓸이해가지구 도망을 치다니, 원! 이래서 머리 검은 짐승은 거두는 게 아니라고들 하나 봐요. 무슨 걱정이에요? 아버님 곁에 제가 있는데…."

그러잖아도 어리둥절해 있는 내게 어머니의 출현은, 그리고 할아버지를 향한 기묘한 위로는 혼란 그 자체였다. 얼마 전까지도 어머닌 명이 누날 친딸처럼 여기노라 입버릇처럼 뇌었더랬다. 할머니가 돌아가시기까지 두어 해 그 지독한 냄새와 괴성을 견디며 똥 기저귀를 빨고 안팎살림 다 해낸 걸 안다고, 홀로 남은 할아버지를 얼마나 성심껏 모셨는지 안다고 다독거리곤 했다. 할아버지마저 아예 자리보전을 하게 된 이후론, 할아버지 돌아가실 때까지만 있어 달라고, 그러면 한몫 단단히 챙겨 주겠노라, 남부럽지 않은 곳으로 시집도 보내 주겠노라 어르던 어머니였다.

그 모든 고생의 끝이 바라보이는 시점에 도대체 누나가 왜 도망을 갔단 말인가? 그것도 집안의 귀중품 따위, 7년 가까운 세월 동안 단 한 번도 치떠 보지 않았던 것들을 훔쳐서 말이다. 도저히 믿을 수 없었다.

학교 가방을 멘 채로 뛰쳐나왔다. 누나를 찾아야 한다는, 어머니가 뭘 잘못 알았을 거라는, 그녀의 진실을 내가 밝혀 줘야 한다는, 그런 생각들이 머리에 가득했다. 화면 큰 텔레비전을 보려고 1층 로비에 자릴 잡은 입원환자 서너 명이, 정신없이 오락가락하는 나를 성가신 듯 쳐다보았다. 자동판매기가 불빛을 껌뻑거리는 매점 근처며, 물리 치료실로 내려가는 지하계단, 각 층의 화장실과 당직 간호사실, 심지어는 다른 환자들의 입원실까지 마구잡이로 뒤졌다. 그 어디에도 누나는 없었다.

병원 건물 밖, 학동 시장 골목을 따라 달리며 만나는 사람마다 붙잡고 물었다. 방화문 셔터를 내리는 중이던 약사도 화분을 들여놓고 있던 꽃가게 주인도 땅바닥에 흩어진 시래기 따윌 쓸고 있던 채소전 아저씨도, 방림다리 앞 철물점 주인에 이르기까지 누구 하나 그럴 듯한 증언을 해 주지 않았다.

"발정 난 수캐처럼 싸돌아다니지 말고 가서 공부나 해!"

누나를 향한 열여덟 살 소년의 미칠 듯한 갈증을 어머니는 천박한 한마디로 찍어 눌렀다. 그리고 며칠 후 할아버지가 돌아가셨다. 그녀는 끝내 나타나지 않았다.

아주 희미한 빛이, 부옇게 흐물거리는 젖빛이 느껴졌다. 눈으로 보았다고 말하기엔 도무지 불확실한, 그야말로 느껴진 거였다. 아버지가 현관문을 열고 집 안으로 발을 들여놓는 사이 뒤꼍으로 돌아갔다. 왠지 그러고 싶었다. 손전등은 여전히 켜지 않은 채로였다. 까치발로 살살 걷는데도 와삭와삭, 풀들이 비명을 질러 댔다. 내 발자국이 닿기도 전에 미리 엄살을 피우며 짙은 어둠 속으로 쓰러지곤 했다.

어디선가 미세한 소리가, 아주 조심스럽고 은밀한 소리가 느껴졌다. 귀로 들었다고 하기엔 확신이 서지 않는, 그야말로 느껴진 거였다. 풀들의 비비적임이나 벌레들의 노래와는 다른 미묘한 어떤 소리가.

그리고는 순간이었다. 뭔가가, 자그맣고 허연 그 무언가가 풀밭으로 훌쩍 뛰어내렸다. 그리고는 이내 사라져 버렸다. 실낱같은 아주 미세한 바람이 내 머리칼을 스치며 지나갔다. 쫓아가야 한다는, 아버질 불러야 한다는, 그리고 손전등을 켜야 한다는 생각들이 두서없이 오갔지만 손가락 하나 까딱할 수 없었다. 놀랐기 때문은 아니었다. 무서워서 그런 건 더더욱 아니었다.

그저 소리를, 그 소리를 놓치고 싶지 않았다. 사락사락 풀잎에 스치는 치맛자락 소리. 왠인지 가슴이 아리는, 물에 젖은 별처럼 투명하게 반짝이는, 안타까이 손 흔들며 멀어져 가는 듯한, 어쩐지 익숙한 소리를….

"승제야!"

아버지가 날 불렀다. 눈부시게 밝은 빛이 뭉텅이로 쏟아져 나왔다. 아랫방 쪽창에서였다. 할아버지 몰래 마당을 살그머니 돌아와 두드리곤 했던 자그마한 유리창, 빠져나오기 곤혹스러워하면서도 내 간청에 못 이긴 누나가 마지못해 맨발로 뛰어내리곤 했던, 바로 그 창문이었다.

"어째서 창문이 열려 있다냐? 혹시 뭐 이상한 거라도 봤냐?"

난 고개를 가로저었다. 그게 뭐였는지 확신할 수 없어서기도 했지만, 왠지 말하고 싶지 않았다. 마당에선 풀벌레 소리가 요란했다. 여기저기서 짖어 대는 컹컹 소리에 절대로 기죽지 않으려는 듯 사력을 다해.

3

세상에서 입은 상처를 달래기 위해
소녀는 그렇게 아름다이 노래 부른다.

하나의 장소는 그곳이 흘려보낸 시간만큼의 이야기를, 가늠할 수 없는 엄청난 두께로 쌓아 둔다. 하나의 기억이 한 이야기의 문을 열어젖힐 때, 누적된 이미지들은 연쇄반응을 일으키며 폭발한다. 거기에는 어떠한 방향성도 없다. 앞뒤도 위아래도 심지어는 안과 밖도 없다. 수천 겹으로 둘러쳐진 시간의 막은 더 이상 의미가 없다.

여기다. 증심천로 33번길 12-1.

하늘색 타일 외벽이 낯익다. 군데군데 새겨진 밤색의 마름모꼴 문양도 그대로다. 시간의 압력을 버텨 낸 풍경은 그 자체로 표지석이 된다. 덜컥거리며 한참을 망설이던 녹슨 자물쇠가 마침내 날 허락한다. 뻔질나게 오르내리던 감나무나 황매화 꽃 흐드러지던 우물터는 없다. 대청마루 끝에 붙어 있던 까만 문짝의 부엌도 보이지 않는다. 내 기억 속의 풍경을 거의 대부분 지워 버린 배반의 장소, 그런데도 반갑다.

할아버지가 돌아가신 그해 사월, 이 집은 나의 원망 따위 돌아보지 않고 다른 이를 받아들이기 위해 적잖은 변신을 시작했다. 부엌이 있던 자리엔 마루를 따로 통하지 않고도 안채와 바로 연결되는 주방과 욕실이 들어섰다. 바깥 마루는 유리문으로 둘러싸이고 현관이 새로 생겼다. 수도시설이 집 안으로 들어가면서 우물터는 메워지고 그 위로 잔디가 덮였다. 감나무는 잘려 나가고 그 자리엔 철쭉이나 회양목 같은 키 작은 관목들로 채워졌다. 구불거리던 돌담은, 감나무 가지에서 뛰어내릴 때 발판 구실을 하던 담장은, 훨씬 더 높은 시멘트 블록 담으로 바뀌었다. 아파트와 일반 주택이 서로 세입자들을 불러들이려 경쟁하던 그 시절, 어머니의 지휘로 이루어진 재정비 작업은 꽤나 성공적이었지만 내겐 영원한 결별을 준비시키는 고통의 날들이었다.

깨진 유리 조각처럼 편린으로 떠돌던 기억들이, 꿈결로 찾아와 어지러이 맴돌던 장면들이, 문득 어깨를 겯고 해일이 되어 밀려든다. 어쩌면 바로 그 때문에 이곳에 오길 그렇게도 망설였는지 모른다.

그 엄청난 파고를 감당할 수 있을까?

팽그르르…. 동그란 그림딱지 하나가 마당으로 떨어져 굴렀다. 반사적으로 마루에서 뛰어내렸다. 여차하면 수채 구멍 속으로 빠져 버리곤 해서 서둘러 따라잡아야 했다. 때맞춰 부는 바람에 밀려 쪼고만 딱지는 쉬지 않고 굴러갔다. 어디선가 불쑥 나타난 까만 운동화 하나가 그걸 막아섰다. 화들짝 놀란 나도 덩달아 멈춰 섰다.

"낼 모레 중학생 될 놈이 아직도 딱지놀이냐? 쯧쯔…. 멍하니 서 있지만 말고 언능 인사해라! 할무니 돌봐주러 온 누나다. 집안 간이니 허물없이 지내도록 허구."

할아버지가 내 등을 토닥거렸다. 귀밑으로 몇 가닥 흘러내린 그녀의 머리카락이 한낮의 햇빛 속에서 하얗게 부서졌다. 나도 모르게 눈을 찡그렸다. 맨눈으로 마주하기엔 햇살이 너무 따가웠다.

그녀가 물잠자리 같은 허리를 구부려 딱지를 주웠다. 한 묶음

까만 실타래 같은 머리채가 출렁 쏟아졌다. 후두둑!, 그녀의 등줄기 위로 연노랑 감꽃이 떨어져 쌓였다. 그녀가 내게 딱지를 건넸다. 움푹 패들어간 볼우물에 투명한 햇살이 어른거렸다.

'여!' 나 '어!', 아니면 '으!' 나 '이!' 같은, 뭐라 흉내 내기 어려운 단음절의 감탄사가 휘파람처럼 새 나왔다. 살풋 깨문 얇은 입술 사이로, 마치 숨소리처럼 흘러나온 신비한 소리였다. 열두 살의 그 봄날, 다시는 딱지놀이를 할 수 없으리란 예감에 사로잡혔다.

"도끼든 장도리든 언능 찾아봐라이! 하다못해 호맹이라도!"

대문간에 들어서자마자 할아버지의 다급한 명령이 떨어졌다. 채 신발조차 꿰지 못 하고서 종종거리는, 몹시 걱정스럽고 당황한 할아버지를 처음 보았기에, 무슨 일인지 물어볼 염을 내지 못하고 헛간으로 내달렸다. 어머니가 다려 준 사골곰탕을 양동이째 들고 오느라 몹시 숨차고 땀에 젖은 상태였지만 생색 낼 틈도 없었다.

"아가, 맹이야! 뭐라고 잔 해 봐라!"

부엌문을 쾅쾅 두드리며 할아버지가 누날 불러 댔다. 문을 잠갔다는 건 누나가 목욕을 하는 중이란 뜻이었다. 딱히 욕실이랄 게 없는 할아버지 집에선 부엌 한쪽 귀퉁이에 놔둔 커다란 고무 대야가 욕조 노릇을 했다. 많은 양의 물을 데워야 했으니 연탄 화덕이 있는 부엌이 어쩌면 욕실로는 제격이었다. 그런데 도대체 무슨 일이 일어난 걸까?

할아버지의 심상찮은 표정을 보니 덩달아 마음이 급해졌다. 헛간엔 온갖 잡동사니들이 가득했다. 녹슨 곡괭이, 삽, 쇠스랑 따위 농기구들이 아무렇게나 뒹굴고 있었다. 자그만 손도끼도 눈에 띄었다. 얼른 집어 들고 뛰었다. 할아버진 내게서 넘겨받은 도끼로 문고리를 내리쳤다. 그리고는 있는 힘을 다해 부엌문을 발로 찼다. 우지끈, 문이 반나마 기울며 밀고 들어갈 틈이 생겼다. 희뿌연 김이 쏟아져 나왔다.

"아가, 아가! 정신 차려!"

아른거리는 안개 속에서 할아버지가 누나의 어깨를 잡아 흔들었다. 커다란 고무대야에 온몸을 부려 놓은 누나가, 일렁이는 물그림자를 이불 삼아 살포시 잠든 것처럼도 보이는 그녀의 알몸이, 할아버지의 손바닥 아래서 흐느적였다.

"동치미 국물 좀 떠와라이!"

할아버지의 명령에 비칠거리며 뒷걸음질하는 내내 숨을 쉴 수 없었다. 눈을 돌릴 수도 없었다. 그녀의 젖무덤 위로 아롱이는 분홍빛 저녁놀이, 그녀의 배꼽에서 솜사탕처럼 부푸는 비누거품이, 금방이라도 사라져 버릴까 봐. 이름 없는 영화의 한 장면처럼 스쳐 지나가 버릴까 봐.

"하이고오! 숨 쉰다, 쉬어. 안 죽겄다야. 뭐니 뭐니 해도 연탄가스엔 동치미 국물이 질이여. 인자 119에다 전화해라이!"

할아버지가 안도의 한숨을 내쉬며 여전히 혼수상태인 누나의 하얀 알몸을 커다란 타월로 감쌌다. 그녀의 젖은 머리칼에서 쉴 새 없이 물방울이 뚝뚝 떨어졌다. 그것들은 골진 가슴 선을 따라 주르륵 흘러내렸다. 더러는 오도카니 솟은 두 알의 새까만 젖꼭지 위로 내려앉아 위태로이 흔들거리기도 했다. 마치 풀잎 끝에 매달린 이슬방울처럼, 거미줄에 맺힌 빗방울처럼.

견딜 수 없이 목이 말랐다. 누나에게 먹이고 남은 동치미 국물을 벌컥벌컥 들이켰다. 그런데도 갈증은 가시지 않았다. 어쩌면 열다섯 살의 그 가을이 가고 다시 또 한 번의 가을이, 그리고도 더 많은 또 다른 가을이 지나가도록.

할아버지의 웃음소리가 멀리서부터 들려왔다. 약간의 취기와 적당한 피로감으로 고조된 노랫가락도 섞여 있었다. 청추~운을 돌려다~오~!

대문간에 묶여 있던 삐삐가 낑낑대며 꼬리를 살랑거렸다. 어머니가 챙겨 준 반찬거리를 들고 왔다가, 알지 못할 소리로 웅얼거리는 할머니를 혼자 두고 갈 수 없어, 머뭇거린 지 반시간쯤 지난 무렵이었다. 할아버지야 그렇다치고, 할머니의 그림자처럼 늘 붙어 있던 누나조차 보이지 않는 게 궁금스러운 한편으로 걱정도 되던 참이었다.

할아버지가 대문간으로 들어섰다. 불콰한 얼굴로, 지팡이 위에다 누나의 손을 포개 잡은 채로였다.

"오호! 우리 집 장손이 와 있었구나. 요 훤헌 이마 좀 보게, 원

머리 일대에서 우리 손지 인물을 따라갈 사람이 없제. 니 눔 장개 갈 때까지 이 할애비가 살아야 쓰겄는디….”

그 사이 누나가 지팡이와 할아버지의 손 사이에서 슬그머니 자기 손을 빼내려 했다. 뭔가를 훔쳐 먹다 들킨 아이처럼 고개를 푹 수그린 채로. 하지만 할아버지는 그녀의 손을 해방시켜 주지 않았다. 더욱 힘주어 눌러 잡고선 날 이윽히 쳐다보았다.

“할매 혼자 두고 어디들 갔나 걱정했드냐? 그런 걱정은 꽉 붙들어 매라이. 요 착실헌 맹이가 똥오줌 다 치고 깨깟허니 단도리해 놨은께 서너 시간은 끄떡없단 말이다아! 그 덕에 동적골로 신림으로 한 바퀴 돌고 왔제. 막걸리도 한 사발 허구….”

시지근한 술 냄새가 풍겨왔다. 누나는 안절부절이었다. 당장이라도 땅속으로 꺼져들고 싶은 사람처럼 온몸을 배배 꼬았다. 그러더니 어떤 식으로든 할아버지를 대청마루로 오르게 하려 안간 힘을 썼다. 조금이라도 빨리 내 눈길을 벗어나야 한다는 강박에 쫓기기라도 하듯.

“듬직한 우리 승제! 할애비가 청이 하나 있다아. 요 불쌍한 것, 맹이 말이다. 말도 못하는 아일 절대로 박절하게 대하믄 안 된다. 아무 데나 내치지도 말고…. 알겄지야?”

누나가 팔짱을 끼고서 할아버지를 부축해 마루 끝에다 앉히는 동안도 할아버지는 말을 멈추지 않았다. 누나가 할아버지의 신발을 벗겼다. 그런 다음 마루에 올라 할아버지의 양 옆구리에 팔을 넣고 상체를 끌어올리려 애를 썼다. 그녀의 목선을 따라 시퍼런

힘줄이 도드라졌다. 낑낑대는 모습이 몹시 힘들어 보였다. 안타까웠다. 그런데도 그녀를 도와주고 싶지 않았다. 가만히 서서 술 취한 할아버지의 횡설수설과 누나의 귀밑머리를 타고 흘러내리는 땀방울을 빤히 쳐다보았다. 도무지 내게 알은 체를 하지 않는 누나에게, 할아버지를 붙든 채로 날 스쳐 지나간 그녀에게, 까닭없이 화가 치밀었다.

"우리 맹이가 참말로 욕본다. 할망구 똥수발 들라, 영감탱이 지팽이 노릇할라…. 으허허헛!"

할아버지의 헛웃음이 누나의 가슴께에서 흐트러졌다. 마룻바닥을 쿵쿵대며 누나에게 끌려 방으로 들어간 할아버지가 이내 코를 골았다. 그에 맞춰 여러 가지 소리들이 화음을 이루며 방문 밖으로 새나왔다. 어쩌면 할아버지의 겉옷을 벗기는 소리, 어쩌면 이불을 덮어 주는 소리, 그리고 어쩌면 빨 옷가지들을 주섬주섬 챙기는 소리….

저 멀리 무등산이 봄날 오후의 한기를 털어 내느라 푸르르 고개를 흔들었다. 이고 있던 허연 잔설이 호르르 아지랑이로 흩어졌다. 댓돌을 내려서다 말고 감나무를 향해 내달렸다. 그리고는 늘 그랬듯이 한달음에 뛰어올랐다. 이제 막 싹을 틔우는 연초록 이파리들이 훅훅 단 내음을 풍겼다. 아무렇게나 뻗어 나간 여러 갈래의 골목길이 한눈에 들어왔다. 씩씩 콧바람을 불어가며 뛰어노는 조무래기들로 온 동네가 들썩거렸다. 열다섯 소년에겐 오래 전에 잊힌 까마득하고 아련한 풍경이었다.

빨래거리를 안고 수돗가로 사분사분 걸어가는 누나의 뒷모습이 풍경화 속으로 끼어들었다. 긴 머리칼이 민요가락이라도 뽑듯 느슨하고 무심하게 출렁거렸다.

돌담을 사이에 둔 전혀 다른 두 개의 세상이 높아진 조망으로 아울러진 바로 그 순간, 뭐라 설명할 수 없는 슬픔이 쏴아 몰려왔다. 풀쩍 뛰어 내려가 누나의 허리를 휘어 감고 싶었다. 그녀의 머리카락에 두 볼을 묻고 그 향기에 흠씬 취해 들고 싶었다.

4

빛은 그녀에게
별 관심도 보이지 않는데.

한때 거기 있다가 없어진 것들. 어스름한 저녁놀과 촉촉한 흙냄새, 등을 기대고 앉았던 우물 담장과 나풀거리는 치맛자락, 그리고 노란 꽃그늘에 가려진 한 소년의 좌절감 따위…. 그림자 인형극처럼 무채색의 실루엣과 음향 효과만이 강렬한, 흑백영화의 한 장면 같은 것들….

조금만 더 있자. 누나! 그녀가 집 쪽으로 눈길을 돌려 살핀다. 할아버지의 잔기침 소리가 울린다. 그녀가 절레절레 고개를 내젓는다. 머리카락 사이로 촘촘히 박혀 있던 별들이 쏴르르 쏟아진다. 검푸른 하늘 곳곳에 숭숭 뚫린 흉한 못 자국들. 아파트로 돌아가기 싫어! 소년이 어린아이처럼 징징거린다. 그녀가 후우, 한숨을 내쉰다. 그리고는 풀잎으로 만든 반지를 소년의 무명지에 끼워 준다. 팔랑, 돌아서는 치맛자락에서 저녁바람이 인다. 소년의 두 팔이 그녀의 등 뒤에서 힘없이 미끄러진다. 활짝 핀 황매화 꽃송이가, 휘황한 꽃 그림자가 흔들거린다. 사르락사르락! 꽃잎 쓸리는 소리만 천지에 아득하다.

얼마나 자주 반복되었던 장면인가? 할아버지 집으로 심부름 갈 생각에 주말을 기다리곤 하던 때, 결국은 한마디도 못한 채 누나가 엮어 주는 풀반지나 풀시계 따위에 희망을 걸고 하루하루를 버티던 그 시절, 어리석기 짝 없던 나의 사춘기.

명이 누나가 어디에서 왔는지 사실 난 알지 못했다. 가난한 시골 친척 중 누군가가 입 하나 덜어 볼 요량으로 우리 집에 보냈다는 것밖엔. 중풍으로 누워 계신 할머니를 수발할 사람이 필요했던 어머니는 그 친척에게 매달 일정액을 송금하기로 약조하고 그녀를 데려왔을 것이다. 당시엔 시골 처녀들이 도시로 식모살이 가거나 공장에 취직하는 게 무슨 출세처럼이나 여겨지던 때였다고 하니, 집안의 천덕꾸러기였을 벙어리 딸 덕에 그녀의 부모는 동네 사람들 앞에서 목에 힘깨나 주었을지도 모른다.

"당신 아부지, 노망이 나도 아주 단단히 났던 거야. 손녀딸 같은 어린 기집앨 건드려 놓구선 부끄러운 줄도 모르고. 어떻게 나한테 그런 부탁을 할 수 있어? 그 애들을 돌봐 달라, 집이라도 줘서 살 길을 마련해 주라…! 허참, 어림도 없지. 우리 승제가, 귀한 장손이 떡 버티고 있는데 어디서 물정 모르는 벙어리 기집년하고 그 새끼한테 조상 대대로 물려온 집을 줘, 주기를?"

이해될 수도 수용될 수도 없는 이야기가 어머니의 입에서 거침없이 흘러나왔다. 아버지와 나의 그날 밤 탐사가 할아버지 집에 관한 괴이쩍은 소문에 아무런 영향을 미치지 못하면서 어머니의 인내심이 바닥을 드러냈기 때문이리라. 어쨌거나 기가 막혔다. 누나와 할아버지 사이에 내가 끼어들 수 없는 뭔가가 있다는 걸 어슴푸레 눈치채긴 했지만, 그런 식의 추문이리라곤 짐작도 하지 못했다.

"다 끝난 일 가지구 인제 그만 좀 하지."

"내가 지금 흥분 안 하게 됐수? 돈 들여 번듯하게 고쳐 놨드만 별 요사스런 소문이 꼬여 옴도 뛰도 못하게 생겼는데?"

그동안 내게 쉬쉬해 왔던 어머니 나름의 교육적 배려가 한순간에 무너진 참이었다. 무신경하기는 아버지도 마찬가지였다.

"당신이 병원에 데려가서 확실히 해결했다며?"

"했지요. 하아, 지금 생각해도 소름이 끼쳐. 그 기집애 눈빛! 수술실 앞에서 깩깩 원숭이처럼 소릴 질러 대며 눈깔을 까뒤집고 흘기는데, 옴마야, 아주 사람 여럿 죽이겠습디다. 그 서슬에 밀렸으면 딸 같은 어린 계모에 갓난쟁이 시동생에, 생각만 해도 치가 떨리네."

어머닌 다시 생각해도 치가 떨린다는 듯 푸르르 어깻죽지를 흔들었다. 도저히 정신을 차릴 수 없었다. 누나의 하얀 속살에서 몽실몽실 솜사탕으로 부풀던 비누 거품이, 불콰한 얼굴의 할아버지가, 두 사람의 손이 겹쳐 잡은 지팡이가, 붉게 타던 저녁놀이 아무렇게나 뒤섞이며 핑글핑글 맴돌았다.

"따지고 보면 지가 나한테 감사할 일 아녀요? 막말로 우리 책임 아니라고, 어떤 놈팡이 놈의 새낀지 누가 아냐고 잡아떼도 되는 걸. 젊은 것 창창한 앞날 생각해서 돈 들여 낙태수술 시켜 줬지, 고향집 갈 때 입으라고 옷 사 입혔지, 따로 돈 봉투 챙겨 줬지. 나처럼 속 깊은 사람이나 되니깐 그만큼 해 준 걸 모르구선…. 은혜를 웬수로 갚아도 유분수지, 원!"

입을 떡 벌이고 앉아 있는 날 어머니는 새삼 놀란 눈으로 흘겨보았다. 별 여과장치 없이 너무 많은 말을 쏟아 버렸다는 데에 몹시 당황한 눈치였다.

"들어 좋을 게 뭐 있다고 쫑긋하고 앉아 있냐? 이왕지사 알 게 된 거, 할 말은 해야 쓰겄다. 어쨌거나 이 에민 할아버지한테 최선을 다했어. 그 기집애 걱정으로 편히 못 가실까 봐 거짓말까지 쳐 가믄서. 그게 어디 나 좋자고 한 일이겠냐? 다 널 위해 그런 거지. 장손인 네가 당연히 물려받아야 할 그 집, 어떤 일이 있어도 지켜줘야겠다 싶어서."

그대로 더는 앉아 있을 수 없었다. 5층에서부터 계단을 서너 개씩 건너 밟으며 순식간에 아파트 마당으로 뛰어내렸다. 늦여름 비가 자락자락 내리고 있었다. 짙푸른 동백나무 울타리를 지나, 더는 배고프지 않은 다리 홍림교를 건넜다. 콸콸, 거칠게 휘몰아 가는 물소리도 내 발길을 붙들지 못했다. 당장 만나야 했다. 누나를, 명이 누나를….

씻을 수 없을 만큼 더럽혀진 그녀, 내 실망과 분노 속에서 일그러진 누나. 하지만 그건 절대로 그녀의 진실이 아닐 것이었다. 어머니의 탐욕이 꾸며 낸 모함이거나, 아버지의 방관이 덧씌운 누명이거나, 할아버지의 주제넘은 욕망이 빚은 희생이거나….

그런 그녀에게 무죄를 선언해 줄 수 있는 사람은 나뿐이리라고, 그렇게 뇌까리며 내달렸다. 빗줄기가 점점 더 굵어졌다.

질퍽거리는 마당을 가로질러 뒤꼍으로 돌아갔다. 몰아치는 빗줄기에 흠씬 두들겨 맞은 할아버지 집은 잔뜩 몸을 웅크린 채 내게 일별도 주지 않았다. 손을 뻗어 조심스레 쪽창을 밀었다. 빽빽했다. 단지 물에 불어서만이 아닌 것 같은 어떤 저항감, 묘한 전율을 느끼며 있는 힘껏 한쪽으로 밀어젖혔다. 그리고는 몇 걸음 뒤로 물러서서 도움닫기를 하여 열린 쪽 창틀을 잽싸게 붙잡았다. 그런 식으로 벽을 타고 오르는 건 사실 식은 죽 먹기였다. 창틀을 붙잡고서 발가락 끝에 힘을 주었다. 마침내 쪽창을 타넘어 방으로 내려섰다.

주르르, 무엇인가가 발밑에서 굴렀다. 균형 잡을 틈도 없이 순식간에 미끄러졌다. 쿠웅! 방바닥에다 이마를 박으며 엎어지고 말았다. 젖은 옷자락에서 줄줄 물이 흘렀다. 어둠 속을 더듬어 스위치를 찾았다. 딸각! 불빛이 방 안을 훤하게 밝혔다. 제법 통통한 막대기 하나가 방 가운데 나뒹굴고 있었다. 지팡이, 할아버지가 산책길에 나설 때마다 누나의 손과 겹쳐 짚곤 하던 바로 그 지팡이였다.

손잡이에서 희미한 온기가 느껴졌다. 윗방으로 난 미닫이문을 거칠게 밀쳤다. 차가운 냉기가, 짙은 어둠이 왈칵 몰려와 발밑으로 쌓였다.

누나?

숨바꼭질 하는 아이처럼 이 방 저 방 닥치는 대로 문을 열고선 그녀를 불렀다.

누나, 명이 누나!

여기저기 스위치를 올리며 더 큰 소리로 불러댔다. 쪽창을 타넘기보단 현관문으로 슬그머니 들어올 걸 그랬다는 후회가 밀려왔다. 만일 그녀가 정말로 그 방에 있었다면 훨씬 더 조심스러웠어야 했다. 하지만 그런저런 판단으로 시간을 낭비해선 안 된다는 생각이 발길을 재촉했다. 현관문을 박차고 대문간으로 내달렸다.

희끄무레한 그림자가 저 멀리 골목길 초입의 전봇대를 설핏 스쳤다. 그리고는 젖은 주황 불빛이 동그랗게 배 문 어둠 속으로 이내 자취를 감추었다. 무작정 달렸다. 굵은 빗줄기 속에서 가물

가물 멀어져 가는 그것을 쫓아.

5

나는 돌무덤 너머에서
머리가 헝클어진 한 소녀를 만났다.

추억이란 어쩌면 유폐, 자발적인 감금상태에 머무는 기억들인지 모른다. 소멸을 거부한 대가로 자유를 잃은, 하여 은유의 베일을 쓰고 꿈길을 배회하는 것들의 이름…. 현재를 뒤흔들 어떠한 가능성도 지니지 못한 것들이 불러일으키는 우울감은 쓸쓸하고도 장엄하다.

광주천은 무등산 서인봉 어름에서 발원하여 내남 들판을 휘감고 내려온 물줄기와 증심사 계곡을 타고 학운동 일대를 적시며 흘러온 물줄기가 원지교 아래서 합류하여, 풍부한 수량과 깊은 수심을 자랑하며 영산강 본류로 굽이쳐 간다. 이젠 오염되어 생명수로서의 역할은 물론 멱을 감거나 빨래를 할 수도 없게 된 데다 수량마저 줄어 도시미화차원의 대상으로 전락하고 말았지만, 원지교 아래서 회오리치던 급류는 한때 사람들의 목숨을 앗아갈 만큼 위협적인 수심과 파고를 자랑했다.

순간 강우량이 연중 최고치를 기록했다는 그날 밤은, 희끄무레한 그림자를 쫓아 정신없이 내달렸던 그날은, 순간적으로 불어난 물 때문에 천변 동네 여러 가구가 침수되고 적잖은 인명피해까지 있었던 꽤나 기록적인 날이었다.

해마다 반복되곤 했던, 텔레비전 뉴스로 막연히 접했던 그런 통계 수치야 어떻든….

하나의 소리를 표기 가능한 문자로 바꾼다는 게 실제를 전달하기에 얼마나 무망한 일인지 모르겠다. 그날 밤의 빗줄기 한가운데로 다시금 돌아가 그 자리에 서 있는 데도 그 소리에 딱 맞는 의성어를 난 찾지 못할 것이다. 어쨌거나 지금도 또한 그렇다. '풍덩!' 이라고 표현할 수밖에.

금방이라도 손에 닿을 것 같았다. 다리 양쪽 난간 사이 거리쯤이야! 이젠 더 이상 어둠 속을 떠도는 한 점일 수 없을, 확실한 부피감으로 만져질 그녀, 나의 명이 누나.

밤하늘을 사선으로 내리긋는 장쾌한 빗줄기와 제방 턱까지 치솟아 넘실거리는 거센 물살이, 물보라를 일으키며 도로를 질주하는 차량들과 함께 빚어내는 우주적인 화음이 아득히 울려 퍼졌다. 확실하고도 분명하게 누나를 붙들기 위해 잠시 숨을 골랐다. 바로 그 순간, 짧고도 강렬한 한 소리가 들려왔다.

풍덩!

날듯이 뛰어 건너편 난간을 향해 다리를 가로질렀다. 또 다른 어떤 소리가 혹시나 이어질까 잔뜩 귀를 세우고서, 제방 경계석을 넘어 둑을 타고 구르다시피 물가로 내려갔다. 포효하는 노도가 삼킬 듯 달려들었다. 돌로 쌓은 울퉁불퉁한 경사면에 등을 바짝 붙였다. 사나운 물 회오리가 아가리를 벌리고 울어 댔다. 검푸른 파도가 내 발목을 휘어 감으려 날름거렸다. 더 이상 물 가까이로 갈 수 없었다.

누나! 누나아!

겁에 질려 외쳤다. 목이 터져라 불러 댔다. 하지만 그건 아무러한 메아리도 만들어 내지 못했다. 천지사방에 물소리, 오로지 물소리뿐이었다. 하늘에서 쏟아지는, 땅에서 솟구치는….

"명이 누난?"

"이 철딱서니 없는 자식! 지금 니가 남 걱정하게 생겼어? 어쩌자고 그 빗속에 둑을 타고 내려가, 내려가길?"

"누나가 물에 빠졌어."

"헛소리 좀 작작해! 설령 그랬단들 너랑 무슨 상관인데?"

누나가 물에 빠졌다는, 원지교 아래 수심 깊은 급류에 휩쓸린 것 같다는, 그리고 그게 나 때문일지 모른다는 말에 귀 기울이는 사람은 아무도 없었다. 약에 취해, 주사 기운에 취해 내지르는 헛소리거니 하는 눈치였다. 폐렴으로 병원 신세를 지던 그 십여 일 동안, 난 말을 버렸다. 잠결인 듯 아닌 듯 몽롱한 가운데 의식의 표면을 스치고 사라지는 소리들에 반응할 의욕조차 내지 않았다.

어디서 그 너절한 애기용품들을 주어다가는 그리 감쪽같이 숨겨 놨는지, 원.

정신이 온전치 않았던 거여. 죽었는지 살았는지, 짠한 것 같으니!

그만하면 할 만큼 했어요. 우리가 뭐 자선사업가도 아니고. 행방불명된 아일 찾아내라는 벽골 아재 심통에도 당해줄 만큼 당해줬구요. 기집애가 갖다 준 돈 봉투는 챙겼으면서 뒷단속도 못한 주제에.

전화벨이 울린다. 아내다. 한 번 더 내게 확인받기 위해서일 것이다.

학운동 집에 와 있다는 얘긴 하지 않기로 한다. 휑한 대문간을 기웃거리는 희고 가냘픈 낮달에 대해, 그 모든 탐욕과 그 모든 이기심과 그 모든 비열함에 떠밀렸던 그녀, 명이 누나에 대해서도. 그리고 주저리주저리 황매화가 피던 자리, 풀들이 파릇파릇 새순을 피워 낸 그 우물터 어름에, 한 잔 술이나마 부어 주고 가리라는 부끄러운 다짐도.

---

* 인용시 : 「텅 빈 그릇」, 휴 맥디얼미드(스코틀랜드)

쏘리 플라자

순기 씨는 매달 정해진 날짜에 꼬박꼬박 월급을 받는 9급 서기보 공무원이었다.

혼자 쓰기엔 많지도 적지도 않은 봉급에 감 놔라 배 놔라 간섭하는 사람이 없는 걸 자랑으로 여기는 노총각이기도 했다.

새벽까지 눈이 벌겋도록 컴퓨터 앞에 앉아 전자오락을 하는 게 그의 유일한 취미생활인 만큼, 아무리 늦게 일어나도 상사에게 타박 들을 일 없는 빨간 날짜를, 그는 자기 생일보다 더 복된 날로 여겼다.

하여 지난 시절에 대한 회한이 없는 만큼 다가올 시간에 대한 기대나 두려움도 별로 가지지 않았으며, 그런 만큼 그의 시간은 빠르지도 느리지도 않게 흘러갔다.

이렇듯 느긋한 그의 성격을 인정한 정부는 그에게 딱 어울리는 자리를 만들어 승진 발령을 내주었다.

국민 화합청의 화해 및 소통과 8급 서기 자리였다.

지난 세기의 반민주적 과오를 털어 내고, 다종다양한 국민적 갈등을 풀어 화합의 새 시대로 가자는 취지에서 여야 합의로 출범한 새로운 정부기구의 신임요원으로 발탁된 것이다.

환송연 자리에서 그의 상사는 평소 순기 씨의 남다른 컴퓨터 활용능력을 눈여겨보았다며, 자신의 적극적인 추천 덕이었음을 잊지 말라고 당부했다.

어쨌든 순기 씨는 컴퓨터 한 대만으로 모든 걸 해결하는, 자기 적성에 딱 들어맞는 아주 단출한 업무를 맡게 되었다.

일종의 사이버 고해소 같은 '쏘리 플라자(Sorry Plaza)' 의 운영자 역할이었다.

쏘리 플라자는 무신경이나 교만함으로 발설된 반사회통합적 발언이나 이기심이나 권력욕으로 빚어진 사회불안 야기성 폭력에 대해, 원인 제공자가 공적 채널을 통해 사과하고 재발방지를 다짐하는 사이버 공간이었다.

하지만 실제 운영에 들어가고 보니 방문자가 거의 없다시피 하여 사과(謝過) 광장인 쏘리 플라자는 늘 텅 비어 있었다.

대부분의 사람들은 과거의 어떤 말이나 행위가 국가 및 사회적 차원의 과오였다고 여길 만큼 자신이 거물급은 아니라고 생각했으며, 설령 자신을 과대평가하는 경우라 해도 지난날의 언행이 공적인 채널을 통해 사과해야 할 만큼 심각한 것이었다고 여기지 않았기 때문이다.

그 바람에 순기 씨는 직장 생활을 시작한 이래 가장 꿈같은 시간을 보내게 되었다.

공적으로 컴퓨터 게임을 즐길 수 있는 시간을 국가로부터 부여받은 거나 다름없는 상황이 두어 달 가까이 이어졌다.

초등학교 시절 이후 사라진 줄 알았던 애국심이 하루에도 몇 번씩 솟구쳐 올라 순기 씨의 가슴을 뜨겁게 했다.

국가적 취지에 부합되지 않는 엉뚱한 장난 글을 재미삼아 올리는 뻔뻔스런 이들에게 경고문을 보내야 한다거나, 상부가 수시로 요구하는 통계보고 따위만 빼면 더할 나위 없이 행복한 나날이었다.

좋은 일엔 늘 마가 끼는 법이다.

본격적으로 사이트 운영을 시작한지 백 일이 넘도록 이용자 수가 정도 이상으로 적은 데다 그 내용마저 그닥 공적이지 않은 데 당황한 상급부서에서, 공익광고의 적극적 활용 방법이나 실적 향상 전략 등을 요구하더니 급기야 폐지론까지 흘려보내기 시작했다.

그 자리에 눌러 앉아 있고 싶은 마음만큼이나 순기 씨는 다급해졌다.

그는 전보 발령 이후 잊어 버렸던 전임지의 동료들을 갑자기 챙기기 시작했으며, 십일조가 아까워 발길을 끊었던 교회며 생전 나다니지 않던 동창회 등에 적극적으로 얼굴을 내밀기 시작했다.

국가적 사업의 중요성을 홍보하기 위해 늦잠용으로 아껴 둔 빨간 날짜까지 아낌없이 헌납했다.

그의 노력이 주효했던지 쏘리 플라자가 활기를 띠기 시작했다.

국가적 차원의 논의로 나아갈 정도의 깊이를 가진 글이 적잖이 올라왔다.

국민들 사이에서 쏘플이라는 약칭으로 불리며 차츰 인지도가 높아지기 시작했다.

그런데 언젠가부터 매일 3~4건 이상의 글이 어느 한 사람에게 집중되고 있다는 놀라운 사실을 순기 씨는 깨닫게 되었다.

더더욱 놀라운 건 그 해당자가 바로 순기 씨 자신이라는 점이었다.

참으로 이해할 수 없는 사태였다.

혹시 지인들이 그를 돕고자 실적을 올려 주려고 없던 일을 꾸며 낸 것인가 싶어, 자신의 신분이 노출되지 않는 범위 내에서 다각도로 탐색해 보았지만 딱히 그럴 만한 증거는 찾지 못했다.

글을 올린 사람이 대상자인 순기 씨의 이름조차 잊어버린 경우가 다반사였다.

어쨌든 순기 씨로선 오래전에 잊어버린 누군가의 어떤 행위 혹은 말에 대해 하루에도 몇 번씩 사과를 받는다는 데 어안이 벙

병할 뿐이었다.

그리고 그 어안 벙벙함은 이내 수치심과 분노로 바뀌어 갔다.

첫 시작은 virus-Imm이라는 작자의 글이었다.

작자는 중학교 입학식 날 자기의 짝꿍이 배치고사에서 꼴등을 했다는 걸 우연히 알게 되어 멍청한 새끼라고 소문을 냈다.

그 바람에 1년 내내 그 친구가 급우들에게 괴롭힘을 당했는데, 세월이 흘러 자기 아들이 똑같은 입장에 처하게 되자 자신의 죄과가 생각났다는 것이다.

'당시 짝꿍을 찾아 용서를 빌고 싶어요. 나의 사과가 아들과 같은 입장에 처한 모든 청소년들을 구원할 거라 믿습니다.'

그런데 이상한 일이었다.

성적 때문에 아버지에게 죽자고 맞았던 중학교 입학식 날의 풍경이, 급우들에게 잔돈푼을 뺏기거나 병신 새끼라며 주먹질을 당하던 장면이 별안간 순기 씨의 뇌리에 생생히 떠오른 것이다.

답을 밀려 쓰는 바람에 재수 없게도 꼴찌로 입학했지만 이후의 학교 성적은 그럭저럭 중간을 유지했고, 그리도 어렵다는 공무원 시험에 비록 4수였을 망정 합격한 만큼, 까맣게 잊었던 부끄러운 과거가 왜 떠오르는지 알 수 없었다.

어쨌든 순기 씨는 당사자를 찾아 사과문을 전달하겠으며, 본인이 원할 시 개인적으로 연락할 수 있도록 주선하겠다는 취지의 답 글을 남겼다.

virus-Imm이 자신이 다녔던 중학교와 1학년 때 담임선생님의 이름, 그리고 입학년도 등을 알려왔다.

그제야 순기 씨는 작자가 찾고 있는 그 친구가 바로 순기 씨 자신임을 알게 되었다.

개자식! 순기 씨는 자기도 모르게 컴퓨터에 대고 욕설을 퍼부었다.

그 다음은 초등학생들을 위한 연애 상담소 설치가 사회복지 차원에서 논의되어야 한다는 다소 뚱딴지같은 제안이 담긴, blackrose82라는 여자의 글이었다.

'초등학교 3학년 때 한 남자아이로부터 첫 고백을 받았어요. 기껏 열 살짜리 꼬마가 커다란 케이크에다 꽃다발까지 들고 와 제 마음을 설레게 했지요. 그런데 하필 그 애의 누런 콧물이 딸기가 촘촘히 박힌 생크림 위로 떨어지지 뭐예요? 너무 더러워서 나도 모르게 케이크를 그 애 얼굴에다 던져 버렸어요. 주변 친구들 모두 그 앨 놀렸죠. 크림 범벅이 되어 울던 모습이 지금도 가끔 떠올라요.'

당시 정황에 관한 여자의 상세한 증언이 순기 씨로 하여금 잊었던 오랜 기억을 떠올리게 했다.

아버지 생신 축하용으로 고모가 사다 놓은 케이크를 훔쳐 낸 바람에 밤새 창고에 갇혀 얼마나 오들오들 떨었는지….

어머니가 몰래 갖다 준 떡 쪼가리가 아니었으면 굶어 죽었을

지도 모른다.

그 이후 늘 실연의 아픔은 굶주림과 동의어가 되었다. 제길!

순기 씨가 어린 시절에 살았던 동네에서 문구점을 했다는 노인이 올린 글도 있었다.

그는 가게에서 자잘한 물건들을 거의 날마다 도둑맞곤 했는데 CCTV를 설치할 만큼 매출을 올리지 못한 관계로 여기저기 거울을 달아놓는 것으로 도둑 소탕 작전에 나섰다.

그러던 어느 날, 여러 아이들이 몰려와 시끄럽게 떠드는 동안 구석에서 사탕이며 스티커 따위를 훔치는 녀석을 하나 잡게 되었다.

좀도둑이 그 애 말고도 여럿 있다는 걸 알고 있었지만, 본때를 보여 모두의 귀감으로 삼게 하리란 생각에 그는 아이를 파출소에 넘겼다.

'그런데 아이 애비가 해도 해도 너무합디다. 그 어린 걸 어깨뼈가 부러질 정도로 두들겨 패더라구요. 경찰이 나서서 말릴 정도였어요. 돌이켜 생각해 보니 어린 시절 누구나 한번쯤 그래 볼 수 있는 걸 가지고 내가 지나쳤던 거 같아요. 그 애가 제대로 컸는지 그게 늘 맘에 걸려요.'

노인은 글 말미에다 모든 어른들에게 어린이 발달상의 시기적 특성을 공부시켜야 한다고 생뚱맞은 제안을 덧붙여 놓았다.

빌어먹을, 순기 씨는 자기도 모르게 험한 말을 내뱉고 말았다.

덩치 크고 힘센 상급 학년 선배의 강압이 있었다는 자신의 변명을 한마디도 들어주지 않던 경찰관의 얼굴과, 그들의 고발에 적극 동조하여 몽둥이를 휘두르던 아버지의 얼굴이 여전히 사그라지지 않은 분노로 떠올랐다.

하여간 이런 식이었다.

순기 씨의 답안지를 커닝했다가 성적이 하위권으로 뚝 떨어졌다며 그에 대한 분풀이로 주먹질을 해 왔던 고교 동창, 속임수를 써서 아이템 30여 개를 사들이고도 남을 사이버 머니를 강탈해간 게임 중독자, 1년 내내 아르바이트를 하여 겨우 장만한 새 핸드폰을 빌려가서는 발길질로 대신 갚은 친구, 양다리를 걸치고 있다 수입이 더 좋은 남자에게 시집 간 과거의 여자, 안티프라민이나 물파스 같은 요상한 약품들을 제 성기에 바르고서 핥지 않으면 죽이겠다고 으름장을 놓던 군대 시절 고참 등등.

순기 씨는 부패되어 흔적 없이 사라졌어야 할 그 많은 쓰레기들이 왜 갑자기 나타나 그의 발목을 휘감는지 이해할 수 없었다.

시간의 늪에다 던져 놓고 도망친 조롱과 험담과 협박의 말들이, 무의식 저 깊이 묻어 버린 어리석음과 폭력의 기억들이 갑자기 왜?

지난 삼십여 년의 삶이 온통 벌레 먹은 배추처럼 너덜거리는 것 같았다.

사과문을 올린 그들이 순기 씨의 삶을 아예 거덜 낼 목적으로 단체협약이라도 조인한 게 아닌지 의심스러웠다.

하지만 순기 씨는 지난 몇 년 간의 공무원 생활을 통해 상당수 사람들이 일시적인 충동의 상태에서 말을 내뱉고 행동한다는 걸 눈치채게 되었으므로, 애써 분노를 참으며 최대한 객관적인 입장에서 중재를 해 보려고 노력했다.

물론 화해 및 소통과 8급 공무원 순기 씨의 중재를 개인 순기 씨의 자격으로 받아들일 생각은 추호도 없었다.

저열한 자부심이나 습관적인 악의, 지나친 정의감 등으로 다른 이를 벼랑 끝으로 내몬 자들이 사과라는 형식의 자기 합리화를 통해, 스스로가 인간적이며 괜찮은 사람이라고 자위하는 꼬락서니를 참을 수 없어서다.

그러는 동안에도 쏘플의 방문자 수는 꾸준히 늘었다.

다양한 형태의 사과와 용서 방식이 공론화되면서 국민 화합청을 신설한 국가의 의도가 순기능으로 작용한다는 평가도 이어졌다.

유행에 휩쓸리듯 많은 사람들이 자잘한 개인적 과오까지 쏘플에 올려 공적인 사과를 신청했으며, 대상자들 역시 화해와 소통의 장으로 기꺼이 나서서 화답하는 바람에 순기 씨는 더욱 과중한 업무에 시달리게 되었다.

쌍방향의 방문자 폭주로 휴일에조차 전자오락을 못 할 정도로 바빠진 그에게 정부는 모범 공무원 표창을 주는 것으로 심심한 위로를 표했다.

그 무렵 순기 씨의 아버지가 입원해 있는 병원에서 연락이 왔다.

상태가 악화되어 오래 사시지 못할 거 같다며 와 보라는 것이었다.

순기 씨는 몽둥이와 욕설 이외에 별다른 선물을 그에게 해 준 적 없는 아버지를 별로 사랑하지 않았으므로, 근무까지 제치며 나서고 싶지 않아 6시 퇴근 시간에 딱 맞춰 사무실을 나섰다.

혼수상태에 빠져 하루 낮, 하룻밤을 깨나지 못했던 아버지가 아들 순기 씨의 도착에 맞춰 반짝 눈을 뜨는 작은 기적이 일어났다.

아버지는 거친 숨을 몰아쉬며 순기 씨를 부르더니 귀를 가까이 대라고 일렀다.

"얘야, 미안하구나. 공부 잘하는 누이 똥구멍이나 빨라고 나무랐던 거. 도둑질 한 손은 잘라 버려야 한다고 칼을 들고 다그쳤던 거. 날 보러 오지 않는 게 괘씸해서 경찰서에 노인 학대 죄로 고발한 거…."

제대로 발음되지 않는 헐거운 목소리로 그의 아버지가 사과의 말을 늘어놓았다.

순기 씨는 마치 멀미를 하는 사람처럼 속이 메슥거려 더는 귀를 기울일 수 없었다.

그 모든 상황들의 반복이었다.

죽는 순간까지 나서서 쏘플 대열에 끼어 그들의 동조자가 되어 있는 아버지라니.

머리가 어지럽고 내장이 뒤틀렸다.

점심 때 먹었던 추어탕 속의 미꾸라지가 식도를 타고 거슬러 올라오는 듯했다.

"그게 다 널 위해서였지. 이 험한 세상, 까딱하면 병신 되는 판이니…."

아버지의 마지막 변명은 부패되지 않고 가라앉아 있던 쓰레기 수준을 훨씬 상회했다. 굴러다니던 녹슨 불발탄이 갑자기 터지기라도 한 듯 고막을 울리는 굉음이 천지를 뒤흔들었다.

그 바람에 솟구쳐 오른 병실 바닥이 순기 씨의 이마를 사정없이 때리고 짓이겼다.

옆 병상의 환자가 비상벨을 누르며 다급하게 간호사를 불렀다.

"세상에, 저런 효자가 있나? 얼른 와 봐요. 아버지가 얼마나 걱정 됐는지 기절을 했어요."

어지러운 발소리들이 순기 씨의 귓전에서 꿈속처럼 아련하게 울려 퍼졌다.

이동식 침대 위로 몸이 뉘어지는 걸 느끼며, 순기 씨는 이번 인사에서 자리를 옮겨 달라해야겠다고 다짐했다.

자선의 계절

지상에서 가깝다는 건 꽤나 성가신 일이다. 딱히 문을 열어 둔 것도 아닌데 온갖 소리가 무차별적으로 들려온다. 1층도 아니면서 웬 불평이냐고 할지 모르겠다. 하지만 한 덩어리 땅바닥 위로 켜켜이 쌓아 올린 스무 채 가운데 두 번째 층의 집이라는 건, 근처를 마구잡이로 배회하는 염치없는 소음을 조금치도 걸러 주지 못한다.

"뭐라 감사의 말씀을 드려야 할지……. 해마다 저희 아파트 주민들 모두 어르신께 신세를 집니다그려."

어딘지 모르게 과장된 인사말이 비위를 거스른다. 아파트 주민 모두라 하면 나를 비롯한 우리 가족 전체가 포함된다는 말인데 도대체 누가 우리에게 신세를 입혔단 말인가? 그것도 해마다? 분명 우리 아파트 관리소장의 목소리다.

"그러게나요. 서푼 내면서도 너나없이 제 이름자 알리려구 신문사나 방송국으로 몰려들 가는 세태에…. 우리 아파트 사람들은 복이 많은 거 같아요. 이렇게 훌륭한 인품을 가지신 분과 함께 살고 있다니 말예요."

월드컵 예선 마지막 경기를 중계하는 아나운서처럼 달뜬, 혼자 말하는데도 세 사람 이상이 모여 떠드는 것처럼 시끌벅적한 부녀회장의 목소리까지 토씨 하나 빠지지 않고 고스란히 들려온다. 설거지를 하려던 나는 못내 궁금증을 참지 못하고 다용도실 창밖으로 고개를 쑥 내밀고 만다. 이래서 싫다. 별로 알고 싶지 않은, 굳이 알아볼 필요가 없는 일들을 기웃거리게 만드는 저 잡다한 소리들이. 하지만 얄팍한 귀에 대한 불만도 잠시, 내 눈길은 순식간에 창밖 풍경에 붙들리고 만다.

연한 갈색의 자루들이 사열 중인 병사들처럼 이열 종대로 죽 늘어서 있다. 언뜻 보아도 사십 킬로그램짜리 쌀 포대임에 분명한 자루들이 삼십 개 가량이나 된다. 상표가 찍힌 종이 포대가 아닌 걸 보면 산지에서 직접 올라온 성싶은데, 저 어마어마한 양을 싣고 오려면 어디서 출발했건 배달 기사는 이른 새벽부터 서둘렀을 것이다. 소장을 비롯해 제복을 입은 수위들, 각 동의 반장이며 부녀회 임원들이 주변에서 웅성거리는 게 보인다. 존경해 마지않는다는, 어르신이 아니라면 우리 아파트가 후원자로서의 체면을 지킬 수 있겠냐는, 누군가를 향한 찬사가 쉬지 않고 이어진다.

"뭐 다 우리 의원 나리를 위해서지. 불쌍한 사람 보면 안도와주고 못 배기는 성품인데 그놈의 정치자금법인가 선거관리법인가에 발목 잡혀서 하고 싶은 일도 제대로 못하고……. 에미라도 대신해야지 않겠소?"

세상에나! 104호 노인네다. 숱한 찬사의 말들에 적절한 자리를 찾아 앉히면서 동시에 그 뒷맛을 음미하는 태도가 참으로 여유롭다. 겸손하기 이를 데 없는, 그럼에도 기묘한 위압감으로 상대를 주눅 들게 만드는 강렬한 저음에다 10개월 여 친분을 쌓았음에도 매번 첨 만난 사람처럼 서먹한 거리감을 주는 예의 바른 말투 역시. 노인네의 눈앞에 서 있는 것도 아닌데 온몸이 쪼그라드는 느낌을 떨칠 수가 없다. 푸하핫! 노인네의 턱없는 자부심을 비아냥거리고 싶은 치기가 뱃속 깊이서 올라온다. 지금이 어느 시대라고 의원 나리람? 그까짓 시 의회 의원 경력이 뭐 그리 대단해서?

"그럼요. 그럼요. 이런 어머님을 모시고 있으니 우리 시에서 나오기 힘든 삼선 의원까지 지내셨지. 때를 기다리고 계신 만큼 머잖아 국회의사당으로 입성하시겠지요."

사뭇 국가적인 차원으로까지 확장되는 아부의 말에 노인네의 기세가 더욱 등등해진다. 이따위 게 뭐 대수라고, 내 살점 떼 주는 일도 아니겠고……. 구부정하던 어깨가 풀 먹인 모시옷처럼 빳빳하게 펴진다. 그런데 뭔가 이상하다. 그 빳빳함 사이로 비어져 나오는 미세한 떨림, 바로 잡으려 애쓰는 데도 멈추지 않는 파르르한 진동. 누군가가 그네를 부축해 줘야 마땅하건만. 그러고 보니 그 애가 없다. 가슴이 철렁 내려앉는다. 내 눈길은 혹시나

하고 그 일대를 샅샅이 훑는다. 근처 어딘가에서 불쑥 튀어나올지도 모른다. 하지만 없다. 어디에서도 보이지 않는다. 정말로 그 애가 없다.

아무도 느끼지 못하는 게 분명하다. 조금 전까지 내가 그랬듯이. 하긴 그렇다. 그림자는 잠시도 제 몸체에서 떨어져 본 적 없지만, 혹여 그게 눈에 띄지 않는대서 궁금해 할 사람은 없다. 그 앤 104호 노인네의 그림자다. 색채와 부피를 갖고 있긴 하지만, 혼자 살아 움직이는 것처럼 보이기도 하지만, 그 앤 틀림없이 노인네의 그림자다. 그 앤 지금 어디에 있는 것일까?

"저어, 우리 할머니가 그러시는데요. 애들이 너무 뛴다고 좀 조용히 해 달라고……."

이사 온 지 며칠 되지 않은 우리 집을 방문한 첫 번째 이웃은 그 애였다. 꿩 대신 닭이라고 그래도 2층 정도면 괜찮겠지 싶었던 안일한 내 계산이 빗나갔음을 통절히 깨닫는 순간이었다. 엘리베이터를 타지 않는다고 해서 아랫집이 없는 건 아니었으니. 사실 우리 형편에 맞춤한 여러 조건에다 이사 시기까지 딱 맞는 데를 찾는다는 건 모래밭에서 바늘 찾기 한가지였다. 연년생 아들 녀석들이 걸음발을 할 때부터 어디서나 살얼음판을 걷던 처지라 1층을 구하려고 적잖이 애를 썼건만.

그래도 약간의 위안이 있었다면 그 애의 말투와 태도였다. 머뭇거리며 더듬는 모양새가 항의하러 왔다기보다 양해를 구하러 온 사람 같았다. 초인종을 눌러 놓고선 행여 문이 열릴까 봐 조마조마한 신출내기 영업사원처럼 어설펐다. 어쨌거나 층간 소음에 관한 한 아랫집이 갑이라는 건 뒤집을 수 없는 진리다. 다루기 쉬워 보이는 상대를 만났다는 사실에 안도하며 나는 그 애에게 최대한의 성의를 표시하기로 했다. 우선 레슬링인지 씨름인지를 하느라 소파 위에서 쿵쾅대는 녀석들에게 엄한 눈길부터 날렸다. 니들이 이 누나 따라가서 할머니께 사과하고 와. 언성을 높여 나무라는 것도 잊지 않았다. 문간에 서 있던 그 애가 슬금슬금 뒤로 물러났다. 우리 애들이 아니라 그 애를 혼냈나 싶은 착각이 들 정도로 겁먹은 낯빛이 예사롭지 않았다. 난 서둘러 그 애의 옷깃을 잡아당겼다.

"아가씨, 그냥 가면 어떡해? 들어와요. 차라도 한 잔 하고 가야지."

어떻게든 달래야 하는 상대였다. 녀석들이 눈치를 살피며 몸을 최대한으로 낮추고 발끝으로 걸어 자기네 방 안쪽으로 슬그머니 기어 들어갔다.

"말은 저렇게 잘 들어요. 귀엽죠? 항상 조심시키고 있어요. 할머니께 말씀 좀 잘 전해 줘요. 애들이 워낙 어려서 아무리 주의를 줘도 잊어버리곤 한다고……."

페퍼민트 향의 허브차를 내놓으며, 또 노란 귤껍질을 까며 난 좀 비굴하다 싶게 엉겨 붙었다. 그 앤 창밖으로 시선을 준 채 내 넉살에는 별로 관심을 보이지 않았다. 늦은 오후의 햇살이 수수만 개의 긴 혓바닥을 내밀어 창유리를 핥아 댔다. 솜털 보송보송한 꽃눈을 잔뜩 매달고 선 목련은 행여 하나라도 바람에 떨어질세라 몸을 웅크린 채 눈치를 살폈다. 어쨌거나 봄은 턱밑까지 와 있음에 분명했다. 가 봐야 하는데. 늦으면 안 되는데. 그 애가 중얼거렸다. 옅은 불안이 그 애의 찻잔에서 호르르 피어올라 내 찻잔으로 미끄러져 들어왔다.

"할머니가 기다리시는구나. 그럼 어서 가요. 정말 죄송하다고, 너른 아량으로 헤아려 주시라고 꼭 전해 줘요. 부탁해요."

계단을 타고 내려가는 그 애의 뒷모습에 대고 몇 마디를 더 얹으면서 난 조심스레 낙관적 전망을 점쳤다. 항의하러 올라온 아랫집 사람에게 진심을 다해 사과하고 함께 차라도 마시고 나면 대개는 우리 아이들의 극성을 견뎌 주곤 했으므로.

하지만 내 예상은 빗나갔고 그 애는 이삼 일 간격으로 지치지도 않고 올라왔을 뿐 아니라 어떤 날은 하루에도 두어 번을 다녀가곤 했다. 처음 왔을 때와 같이 이색하고 난처한 표정으로, 처음 했던 말과 똑같은 말을 남겨 놓고선 말이다. 첫 인상에서 느꼈던 어설픔은 앞뒤 통하지 않는 막무가내로, 겁먹은 것처럼 보이던 조심성은 답답한 고집으로 여겨졌다. 그럼에도 그 애의 방문은 심각한 고민거리가 되었다. 그런 경우에 써먹곤 했던 유치하지만 효과적인 방법을 떠올렸다. 약간은 호소하는 듯한, 약간은 비난하는 듯한 말투로 눈물까지 글썽거려 주면 상대는 주춤거리게 되어 있다. '그 댁에서는 애 안 키워 보셨어요? 어린 애들을 꼼짝 못하게 묶어 놓을 순 없잖아요. 애들이란 게 아무리 주의를 줘도 그때뿐인 걸, 한밤중도 아닌데 너무하시는 거 아녜요?' 등등. 하지만 그 애에게 그런 항변이 먹힐 리 없었다. 참으로 성가신 일이지만 문제의 할머니를 방문해서 호소를 해 보는 것 외에 방법이 없다는 걸 인정해야 했다.

인터폰이 울어 댄다.

"204호죠? 가 동 반장님 대신에 가겠다고 하신……. 트럭만 도착하면 짐 싣고 곧장 출발할 거예요. 지금 당장 내려오세요."

자기가 누구인지 밝히지도 않고서 대뜸 명령이다. 어이없다. 분명한 약속을 한 것도 아닌데. 어젯밤 우리 동의 반장에게서 부탁을 받은 건 사실이다. 음식물 쓰레기를 버리러 내려가는 길에 우연찮게 만난 반장은, 요양보호사 자격증을 따는 바람에 얼결에 직장인이 됐노라는 자랑 끝에 부탁 하나를 덧붙였다. 우리 아파트 자매결연 시설 방문에 자기 대신 참석해 달라는 거였다. 평일 오전에 집에 있는 젊은 사람이라곤 눈을 씻고 찾아봐야 우리 동에선 나밖에 없더라며 말이다. 면전에서 대놓고 거절하기가 민망하여 우물쭈물하는 사이, 반장은 고맙단 인사를 남기고 사라져 버렸다. 그게 전부였다.

꼭 그러겠다고 한 건 아니고요, 막 변명을 시작하려는데 '다들 기다리고 있어요.' 라는 다음 말이 이어지더니 인터폰이 뚝 끊겨 버린다. 속이 부글거린다. 반장이나 이 여자나 모두들 자기 멋대로다. 그런데도 이상하다. 명령어를 들은 로봇처럼 나도 모르게 외출 준비를 서두르고 있다. 부스스한 머리칼에 물을 뿌려 빗고, 세수도 안 한 얼굴에 비비크림을 펴 바르고, 실크스카프로 얼룩진 외투 깃을 가리는 등. 그 애의 부재가 확실한지를 알고 싶은 얄팍한 궁금증이거나, 아님 그 애의 행방을 캐고 싶은 천박한 호기심일지 모른다는 성찰적인 질문거리는 아예 건드리지 않기로 한다. 보푸라기 인 실내복 바지 위로 발목이 긴 부츠의 지퍼까지 채우고 나니 제법 그럴싸하다. 세련된 모자와 썬 글라스만 곁들이면 웬만한 모델처럼도 보일 것 같다. 뛰어난 내 포장기술에 감탄하며 현관문을 나선다.

계단을 다 내려오자 지친 노새처럼 허연 입김을 내뿜으며 아파트 마당으로 들어서는 트럭 한 대가 보인다. 칠이 벗겨진 틈새로 벌건 녹이 앉은 군청색의 용달차다. 그것은 잠시 눈치를 살피더니 정렬한 쌀 포대들 앞으로 주춤주춤 엉덩이를 들이민다. 달달거리는 엔진 소리가 멈추자 비음이 잔뜩 쉬인 사내의 목소리가 겨울 아침의 한기를 가른다.

"오메, 요렇게나 많이요? 지게차도 없이 요 많은 걸 나한테 실었다 폈다 하라고요? 그러다간 허리가 나가고 말지라."

마뜩잖아 하는 기색이 역력하다. 심난한 표정으로 혀를 끌끌 차던 사내는, 이걸 싣고 온 배달 차량을 첨부터 아예 예정된 장소로 보내지 않고 왜 자길 불렀냐며 사뭇 짜증을 부리기까지 한다. 성탄절이 낼모레인 만큼 오라는 데가 얼마나 많은데 이런 막노동까지 해야 하냐며. 딴은 맞는 얘기다. 저 무거운 자루들을 올리고 내리는 데 굳이 두벌일을 시킬 게 뭔가? 누구 하나 나서서 사내를 달래거나 그 불평을 제지시키지 않는다. 모두들 사내와 마찬가지로 쓸데없는 소모전으로 여기는지 모른다. 아파트 전 주민에게 확실한 물증을 보이려는 노인네의 과시욕과 허영심이 빚어낸…. 과도한 칭찬의 이면에 똬리 튼 각자의 진실은 이런 식의 침묵을 통해 그나마의 자리를 지키는 것인지도 혹은 모를 일이다.

"이보오. 여기!"

사내가 주춤한다. 늘 그렇듯이 노인네의 목소리엔 뭔지 모를 위압감이 서려 있다. 오만 원권 지폐 몇 장이 노인네의 손끝에서 팔락거린다.

"이 정도면 일당은 물론이고 기름 값까지 충분하지 않겠소? 우리 검사 영감 사위님이 이런 일엔 아끼지 말라고 당부를 하곤 해서 말이지."

자부심과 오만이 한데 섞이고 동정과 멸시가 교묘하게 어우러진 노인네 특유의 표정이 분위기를 압도한다. 갑작스런 고요가, 숨 막힐 듯한 일시정지의 상태가 순간 스쳐 간다. 동조의 끄덕임은 물론 경탄의 외침이나 선망에서 오는 한숨 소리 하나 나지 않는다. 어떤 논평도 덧붙이면 안 되는, 노인네의 권위를 철벽처럼 수호하는, '검사 영감 사위님' 이라는 명사의 연속이 촉발하는 긴장감. 좀 전의 불평은 싹 잊은 듯 연신 고개를 주억거리며 그럼요, 그럼요를 연발하는 사내만이 유일한 움직임이다. 국외자이기에 가능한 솔직성이 얄밉지 않다.

"그러면 수고들 하시지요."

노인네가 부녀회장의 등을 토닥이며 발길을 돌린다. 그제야 여기저기서 새삼스런 치하의 말이 쏟아지기 시작한다. 무엇 하나 소홀함이 없는 분이라고, 어르신의 따뜻한 마음과 빈틈없는 배려가 자녀들을 성공시킨 비결인가 보다고 운운.

"아이쿠야, 그러고 보니 그 애가 안 보이네. 어쩐지 뭔가 허전하더니만. 어르신, 잠깐만요. 제가 모셔다 드릴게요."

노인네의 길음걸이가 불안정하다 싶었나. 수더분하고 붙임성 있기로 소문난 다 동 711호가 노인네의 오른팔을 붙들자 나 동 1009호도 질세라 나서서 왼팔을 붙든다. 그림자처럼 늘 할머니 곁에 붙어 있더만 오늘 따라 어딜 갔대요? 711호가 묻고, 어디 심부름이라도 가지 않았겠냐고 1009호가 대답한다. 그렇게 부족한 아일 예의 바르게 가르치느라 얼마나 애쓰시냐며 노인넬 치켜세우는 1009호, 오갈 데 없는 바보 아일 거두었으니 자손 대대로 복 받으실 거란 축사를 거침없이 안겨 주는 711호. 느닷없이 구역질이 난다. 물 말아 먹은 몇 순갈 밥알이 식도를 타넘어 올라올 것만 같다. 그들은 도대체 알고 그러는 것인가, 모르고 그러는 것인가? 갓 스물이 될까 말까 한 계집아이의 누렇게 뜬 음울한 얼굴과 문장으로 연결되지 못하는 더듬거리는 말씨와 한 꺼풀만 들추면 보이는 자잘한 상처 자국들에 대해서 말이다.

집 안은 굴속처럼 어두컴컴했다. 오후 세 시를 막 지난 화창한 봄날이었는데도 말이다. 단지 1층이어서만은 아니었다. 이십여 년 전 분양 당시 입주할 때 들여놓은 것으로 보이는 구식의 거무튀튀한 거실장이며 문갑 따위가 그렇고, 창이란 창을 모조리 가리고 선 키 큰 실내 정원수들이 또한 그랬다. 게다가 실내등조차 켜지 않은 채였다. 으스스한 분위기마저 감돌았다. 현관 입구의 신발장 앞에 서서 노인네의 접견 허락을 기다리는 동안 슬그머니 꽁무니를 빼고 싶은 생각이 들었다. 또다시 이사를 가야 하나, 아님 노인네랑 한바탕 얼굴을 붉혀야 하나, 고심한 끝에 '엄마' 라는 이름값을 위해 기꺼이 납작해지기로 마음먹었으면서도.

"노곤한 봄날 한낮에 김치전이라! 이웃지간에 정을 나누는 건 아름다운 일이지요. 그닥 즐겨 먹는 건 아니지만 부러 가져오셨으니……."

노인네의 첫마디에 난 어디 쥐구멍에라도 들어가고 싶었다. 음료수 따위 무성의하게 사 가느니 뭔가 정성을 들여야겠다 마음먹고 지진 부침개였다. 새 통에서 막 꺼내 그냥 먹기에도 아까운, 사각사각 잘 익은 김장 김치에다 부추며 호박, 오징어에 새우까지 곁들여 지져 낸 전을, 침 흘리는 애 녀석들한테 아직 맛도 안 보이고 가져왔건만.

노인네는 내 표정이 굳어지건 말건 전혀 알 바 없다는 듯이 소파에 앉은 자세 그대로, 그 애에게 형광등을 켜게 하고 차를 내오라고 시키면서, 한편으론 내게 앉을 것을 권했다. 불을 켰음에도 실내가 그닥 밝아지진 않았다. 노인네의 얼굴이 눈에 익기까지는 한참의 시간이 필요했다. 알이 두꺼운 안경을 끼고서도 오만상을 찌푸리며 사람을 훑어보는, 움푹 패인 볼에 쪽 빨아 있는 턱이 어디 한군데 덕스러워 뵈지 않는, 아주 고약한 인상의 할망구였다.

"이리 눈이 안 좋다 보니 귀만 밝아져서는 온갖 소리란 소리엔 다 신경이 쓰이지 않겠소? 그 집 아이들이 다른 집에 비해 뭐 특별한 건 아닐 텐데도 말이오. 요 앞전에 살던 사람들도 결국은 나 땜에 이사를 갔는지 모르겠구먼."

불쾌하기 짝 없는 노인네였다. 우리더러 이살 가라고 은근히 종용하는가 싶은 생각이 들자 한바탕 욕설이라도 퍼붓고 싶은 심정이 되었다. 양 볼이 화끈거리고 손마디가 떨려왔다.

"어쨌거나 젊은 양반이 이리 예를 갖추는 걸 보니 좀 미안스럽기도 하구."

사과를 하는 것도 그렇다고 힐난을 하는 것도 아닌, 노인네의 절제된 이중성이 묘한 힘으로 내 분노를 억눌렀다. 여러 번을 뇌까리며 연습했던 호소의 말도 한마디 꺼낼 수 없게 만들었다. 결국 이해해 달라거나 선처를 바란다는 식의 양해의 말 대신, 죄송하다는 사과와 더욱 조심시키겠다는 다짐만 거듭하고 말았다. 노인네는 그 애의 부축을 받고 현관문까지 나와 정중하게 나를 배웅했다. 김치전에 대한 답례로 메론 한 상자를 들려 주기까지 하며.

슬리퍼를 꿰면서 괜찮다는 사양의 말과 감사히 받겠노라는 겸양의 말을 차례에 맞게 건네느라 약간 긴장을 했던지도 모르겠다. 별안간 그 애에게 역정을 내는 노인네의 말씨가 필요 이상으로 거칠어져 있음을 뒤늦게야 깨달은 걸로 봐서.

“쯧쯧, 기집애 엉덩이는 한사코 가벼워야 된다고 노상 일러뒀거늘. 빨랑 가서 들어다 드리지 않고 뭘 멀뚱거리고 서 있는 게야? 한 대 맞아야 정신을 차리겠니, 엉?”

지금까지와는 사뭇 다른 태도였다. 수업시간에 졸다가 선생님의 분필 조각에라도 얻어맞은 아이처럼 그 애는 화들짝 놀라며 내 손에 들려 있는 상자를 낚아채 갔다. 그렇게까지 하시면 미안해서 어쩌냐고, 별로 무거운 것도 아닌데 그러지 마시라고, 그 상황에서 하지 않으면 안 될 것 같은 인사말이 미처 끝나기도 전에 그 애는 2층 계단을 다 올라서고 있었다. 그 애에 대한 역정이 실제론 나를 겨냥한 것 같아, 메론 상자를 다시 들고 가 노인네의 면전에다 팽개쳐 버리고 싶었다. 그 애가 뭔가 간절한 눈빛으로 이윽히 나를 쳐다보지 않았다면 정말 그랬을지 모른다. 참아요. 그 애의 눈빛은 그렇게 말하고 있었다.

그런 나의 수모를 아는지 모르는지 애 녀석들은 별로 달라지지 않았다. 컴퓨터 게임조차도 온몸을 들썩이며 하는 바람에 맘을 졸여야 했다. 밖으로 몰아내 봐야 기껏 한나절, 어느 틈에 들어와 온 집 안을 격투기장으로 만들면서 시도 때도 없이 그 애를 불러올리곤 했다. 되도록 학원 보내지 않고 소신껏 키워 보려고 직장까지 때려 친 내 결심이 정말 옳은 것이었는지 곱씹는 날이 많아졌다.

어쨌거나 첫 방문에서의 불쾌한 기억에도 불구하고 나는 뇌물 공여성 방문을 계속하기로 마음먹었다. 어미로서의 내 진심이 누군가의 어미였을 노인네의 심중에 가 닿으리라 믿고 싶었다. 햇빛 청명한 날엔 달고 시원한 수정과를, 찬바람 부는 저녁엔 때깔 좋은 홍시를, 비가 오는 날엔 호박죽이나 수제비를 한 냄비 앞세우고서, 사흘이 멀다고 오르내렸다. 고맙다며 건네는 깍듯한 인사와는 달리 달갑잖아 하는 기색이 노골적이어서 매번 상당한 용기가 필요했던 건 사실이다. 하지만 그렇게라도 다녀오고 나면 며칠 가량은 그 애의 얼굴을 보지 않아도 되었으므로 나는 뇌물의 효과를 믿게 되었고, 주기적인 104호 방문이 일상적인 의무로까지 여겨지게 되었다. 꾸준히 들락거린 결과 그 애의 우리 집 방문은 일주일에 한두 번으로 줄어들더니 최근에는 한 달에 한 번도 오지 않을 정도가 되었다. 불굴의 의지로 쟁취한 나의 승리였다. 하지만 지속적이고 완벽한 승리라는 확신을 가질 수가 없었던 탓으로 난 여전히 일주일에 한 번쯤은 특별식을 만들었고 현관 앞에서일 망정 노인네에게 정성스런 안부의 말을 빠뜨리지 않았다.

우리의 관계는 거기까지 만이어야 했다. 관계라는 건 언제나 그 관계에 걸맞는 거리를 유지할 때 지속되는 법이다. 사실 노인네나 그 애에게 책임을 물을 수는 없다. 내 마음 밭에서 잡초처럼 자라나 어느 순간 무성해져 버린 그 가당찮은 호기심이며 어수룩한 의협심이 문제였으므로.

"사진 한 장 찍고 가세요!"

다급한 목소리로 소장이 노인네 일행을 불러 세운다. 갑자기 할 일이 생각난 듯 관리 사무소 직원들도 뭔가를 주섬주섬 펼친다. 플래카드다. '불우이웃 돕기 성금 및 성품 전달식' 이라는 상투적 문구 아래 우리 아파트 이름과 결연 시설의 이름이 나란히 쓰여 있다. 날짜 위로 덧칠의 흔적이 역력한 게 몇 해째 우려먹고 있나 보다.

"어떻게 알았는지 시민일보 기자님이 오셨네요. 당연히 어르신을 모시고 여기서 찍어야죠. 우리 동네 현안 사업에 관심 많으신 의원님의 배려일지도 모르는데……."

국회 진출의 포석을 깔려는 전직 시 의원 자신에 대한 배려겠지, 하마터면 입 밖으로 튀어나올 뻔한 말을 꿀꺽 삼키며 뒤로 물러선다. 눈치 빠른 수위 하나가 가까운 경비실에서 의자 하나를 꺼내 온다. 노인네가 그 의자에 앉자 자연스럽게 중심이 형성되면서, 최대한 중심에 가까이 붙어 서려는 신경전이 은근히 벌어진다. 나는 몇 발짝 더 그들로부터 멀어진다. 반장 대신으로 왔을 뿐, 주민 대표 계열엔 들지 않는다는 열외감 때문만은 아니다. 노인네, 혹은 노인네를 앞세운 많은 이들의 속보이는 계산속에 한데 섞일 이유가 없어서다.

"좀 전에 쌍둥이 엄마가 보였는데……?"

뒷걸음질 끝에 슬그머니 빠져 나가려던 나는 딱히 누군가에게 묻는 것이랄 수 없는 노인네의 혼잣말에 흠칫 놀란다. 그 주변에서 있던 이들이 도대체 누굴 찾는지 궁금한 표정으로 설왕설래한다. 노인네가 평소 나를 부르는 호칭이 쌍둥이 엄마라는 사실을 아는 사람은 그 애 말고 없다. 그러니 그들로선 우리 아파트에 없는 쌍둥이 엄말 찾는 노인네의 의중이 궁금할 수 밖에. 생김새나 체격이 비슷비슷하여 더러 쌍둥이로 오해받기도 하지만 여섯, 일곱 연년생 아이들이라고 누누이 설명을 했건만 노인네는 절대로 바꿔 부르려 하지 않았다. 자신이 한 번 그렇게 부르기로 결정한 이상 번복할 수 없다는 태도였다. 어쨌든 두리번거리는 노인네의 고갯짓을 따라 사람들의 시선이 이리저리 오간다.

절 찾으세요? 하는 수 없이 사람들 틈새로 고개를 빼물고서 미적미적 물었다. 그렇다마다. 이리 와 내 곁에 서요. 주변 사람들의 눈이 휘둥그레진다. 쌍둥이 엄마라는 생뚱맞은 호칭도 그렇고, 노인네가 자기 옆자리로 굳이 날 지목해 세우는 것도 그렇고, 다들 의아해하는 낯빛을 숨기지 않는다.

"어머, 그러고 보니 작년에도 재작년에도 가 동 204호였어요. 어르신 곁에 서는 영광을 차지한 사람이."

별로 중요할 것 없는 누군가의 기억이 사람들을 술렁이게 한다. 총무님은 별걸 다 기억하네요. 근데 이상하다. 왜 매년 가 동 204호지? 아하, 어르신 바로 윗집이구나. 은근히 편애가 심하신가 봐. 이런저런 속닥임이 물결처럼 퍼진다. 근데 왜 그 집은 해마다 주인이 바뀌는 거야? 그럼 내년엔 또 다른 사람이 이 자리에 설 수도 있겠네. 누군가가 던진 한마디에 왜인지 가슴팍이 써늘해진다. 차가운 눈덩이가 블라우스 앞섶으로 날아들기라도 한 것처럼 축축하고 불쾌하다. 느닷없던 반장의 부탁조차 뭔가 계산에 따른 거였나 싶어진다. 부녀회장이 짐짓 내 손을 잡아끌어다 노인네 옆에 세운다. 노인네의 의도를 충실히 따르는 게 자기 몫의 사명이라고 여기는 듯하다. 하나, 둘, 셋! 카메라 플래시가 터진다.

"우리 집까지 날 부축해 줘요. 그 아이 대신!"

부탁이라기엔 지나치게 단호한 말투다. 노인네의 형형하고 집요한 눈빛이 나를 향해 있다. 조금 전 노인을 부축하겠다고 나섰던 711호나 1009호는 물론이고 주변의 모든 사람들 시선이 내게로 쏠린다. 셔터를 누르던 기자조차 잠시 멈칫한다. 발바닥이 땅에 달라붙은 것처럼 무겁다. 설마 그 애에게 헌옷가지 몇 벌 준 걸 나무라려는 건 아니겠지, 설마 그 애가 지난밤 빌려간 돈 몇 푼에 대해 추궁하려는 건 아니겠지, 이런저런 설마를 내세워 벌떡거리는 가슴을 진정시켜보지만 쉽게 발걸음이 떼 지지 않는다. 도둑이 제 발 저린다는 속담은 이런 때를 위한 잠언이리라. 의심받지 않으려면 태연하고 꿋꿋하라는 반어적 경구. 104호 현관문 앞에 이르도록 노인네는 한마디 말이 없다.

그날은 가을이 다 가도록 미뤄 왔던 옷장 정리를 하고 있었다. 때마침 그 애가 과일 바구니를 들고 왔다. 천식기로 입원해 있던 노인네에게 아이들과 함께 문안 차 갔던 일에 대한 답례였다.

"마침 잘 왔네. 이 청바지 어때? 조금만 수선하면 맞을 거 같은데. 한 번 입어 봐."

몸이 불어서 이젠 입기가 어렵겠다 싶은데도 치른 돈의 액수가 적지 않아 버리지 못하고 놔둔 유명 브랜드의 청바지를 문득 그 애에게 입혀 보고 싶었다. 어린 아가씨답지 않게 헐렁한 추리닝 바지나 발목까지 덮는 긴 치마를 치렁거리고 다니는 아이였다. 재봉질에 어지간히 자신도 있는 터라 그 애의 가는 허리에 맞게 품을 줄이고, 최신 유행에 뒤지지 않도록 바지 길이며 폭도 수선해 줄 참이었다.

"가져가서 입어 볼게요."

머뭇거리거나 주춤거리거나 중얼거리는 게 평소의 그 애 말버릇이고 보면 지나치게 명확한 의사표시였다.

"뭐가 어려워서 그래? 같은 여자끼린데. 치수만 재면 되니까 시간도 별로 안 걸려. 세탁소에 갈 거 없이 내가 수선해 준다니깐 그러네."

그 애는 뒤 마려운 강아지처럼 난처한 표정으로 자꾸만 뒷걸음질을 치려 들었다. 부끄러워 그러려니 싶어 난 조금 장난스럽게 그 애의 바지 허리춤을 붙들고 잡아 내리려는 시늉을 해 보았다. 그래도 될 만큼은 친해졌단 생각도 없지 않았다. 그 애가 악비명을 내지르며 내 손을 사정없이 밀쳐 냈다. 그리고는 거칠게 현관문을 열어젖히면서 뛰쳐나갔다. 민망하기 이를 데 없었다. 성 추행범 취급을 당한 것처럼 불쾌하고 오욕스러웠다. 내팽개쳐진 선의는 어떤 합리화로도 위로되지 않았다. 난 마치 짝사랑 소녀에게 조롱당한 사춘기 소년처럼 그 앨 미워하게 되었다. 혹여 마주쳐도 인사하지 않았고, 노인네의 전갈을 가져와도 눈길을 맞추지 않았다. 뭔가 변명하고 싶은 표정으로 입술을 달싹이는 그 앨 절대로 알은체 해 주지 않았다. 한밤중에 찾아와 쭈뼛거리며 애걸복걸하는 표정을 지을 때까지 말이다.

어쨌건 그 애와의 화해는 전혀 예기치 않은 때에 이루어졌다. 개구쟁이 녀석들은 단잠에 빠져 있었고 남편은 출장 중이었으며, 104호 노인네 역시 깊은 잠에 취해 있을 밤 11시 무렵이었다. 얇은 잠옷을 걸친 채 달달 떨며 그 애가 문간에 서 있었다. 십일월 하순의 밤바람이 그 앨 자빠뜨릴 기세로 휘몰아쳤다. 그 바질 입어 보겠다며 맞게 고쳐달라는 말마디가 그 애의 입술에서 채 빠져나오기도 전에 바람이 먼저 휩쓸어갔다. 얼음처럼 찬 그 애의 손을 끌어당기고 서둘러 현관문을 닫았다. 그동안 어른스럽지 못했던 내 태도가 슬그머니 창피해졌다.

그 애는 뭔가를 감추려는 사람처럼 한 구석에 붙어 서서 잠옷 바지를 잽싸게 벗더니 내가 내미는 청바지를 서둘러 꿰입었다. 보여 주지 않으려는 것에 대한 감수성은 왜 그리도 민감한 것일까? 뭔가 그 애의 속살에서 무늬랄까, 색채랄까 하는 게 희번덕이는 걸 난 놓치지 않았다. 혹시 전날의 거부가 예사롭지 않은 살갗 때문이었을지 모른단 생각이 들면서 미안한 마음이 배가 되었다. 화상 자국이거나 피부병이거나 아님 선천적인 어떤 결함일지 모른다싶어 짐짓 못 본 척했다. 수선해야 할 곳에 핀을 찔러 표시를 한 다음, 그 애가 다시 잠옷으로 갈아입는 동안 곁눈질로 종아리며 허벅지를 주의 깊게 훑어보았다. 군데군데 붙어 있는 반창고, 딱지로 엉겨 붙은 핏줄기, 그리고 새살이 돋아 허연 줄무늬를 만든 생채기의 흔적들. 암만 생각해도 하루 이틀 새에 만들어진 상처는 아니었다. 왜 그러는지 물어선 안 된다는 생각과 어떻게든 알아내서 그 앨 도와야겠다는 생각이 성급히 자리를 주고받았다. 물론 도와준다는 게 뭔지에 관한 숙고 따윈 없었다.

그 애의 신상에 관해 제대로 아는 게 없다는 걸 문득 깨달았다. 가난한 친척집 아이가 잔심부름을 해 주며 용돈이라도 버나보다, 한창 나이에 성정 드센 노인 비위 맞추느라 애쓰겠구나 하는 정도 이외에는. 그동안의 무관심을 만회라도 하려는 듯 수많은 의문이 꼬리를 이었다. 나이는? 이름은? 부모는? 노인네와의 실제 관계는?…… 정말로 아는 게 하나도 없었다. 자기 스스로 만들었을 리 만무한 상처들에 대해서도. 끊임없이 샘솟는 의문들과 그 양 만큼의 미안스러움을 덜어내 볼 요량으로, 빨리 가야 한다며 보채는 아일 붙들고 늘어졌다.

"몇 살이야?"

"몰라요."

"자기 나이를 모른다는 게 말이 돼?"

"열아홉 아니면 스물, 스물 하나일지도……."

그날 밤의 대화는 끝까지 그런 식이었다. 다른 가족이 있느냐 질문엔 노인네의 자식들을 들먹이더니, 진짜 가족은 아니잖냐고 물으니 그럴 수 있지만 그렇지 않을 수도 있다는 식의 애매한 흐리기로 마무리를 했다. 어떤 질문에 대한 답이든 마찬가지였다. 다만 노인네랑 사는 게 좋으냐는 질문에 대해서만은 다소 엇나가나마 확신에 찬 어조로 또박또박 대답했다.

"할머니에겐 내가 꼭 필요해요. 난 할머니 손발이고 눈이에요."

정말로 그렇게 생각하느냐고 몇 번을 물어도 대답은 한결같았다. 마치 녹음기의 재생 버튼을 누른 것처럼 어조나 억양조차 달라지지 않았다. 너한텐 많이 불친절한 거 같던데? 자기 상처를 그렇게나 들키지 않으려고 애쓰는 아이에게, 순간적인 추정만 가지고서 이러쿵저러쿵 캐물을 수 없어 에둘렀을 때도, 그 앤 똑같은 대답으로 응수했다. 난 할머니 손발이고 눈이에요. 정말 그렇게 믿는 것인지, 아니면 그렇게 믿도록 강요된 것인지는 알 수 없었다. 그래서 버티는 것인지 아니면 버텨야 하니까 그러는 것인지에 대해서도. 한 시간 가까이 얘길 나눴지만 그 애에 대한 정보는 조금치도 확장되지 않았다.

안타까움은 무책임한 동정심으로 이어지게 마련이다. 그 날 밤의 내가 그랬다. 힘들 땐 언제라도 와. 친언니려니 생각하고…. 헌 옷가지 몇 벌을 받아들고서 그 앤 아주 무심한 눈빛으로 날 바라보았다. 내게서 왜 그런 말을 듣고 있는지 도무지 알 수 없다는 표정으로.

어쨌거나 그날 이후 나의 귀는 굉장히 예민해졌다. 아랫집서 올라오는 아주 작은 소리에도 하던 일을 멈추고 숨을 죽였다. 혼

내키는 소리나 나무람 소리가 혹시 나는지, 뭔가 깨지거나 회초리 소리 같은 게 들리는지, 흐느낌이나 신음 소리 같은 게 새나오는지……. 104호에 들를 때마다 노인네의 표정이며 말투를 탐색하고 그 애의 눈자위가 부었는지 축축한지를 살피게 되었다. 하지만 의심스런 소리에 귀를 세우면 이내 다른 소리들과 뒤섞였고, 우울한 기색의 아이에게 인사라도 할라치면 노인네의 신경질이 앞장을 섰다. 누구라도 동의할 만한 특별한 징후는 포착되지 않았다. 그런 식으로 이십여일이 지나자 그 애를 돕겠다는 발상이나 노인네에게 지운 혐의가 소시민적 반성의 결과 우러나온 과잉반응이 아니었을까 여겨질 지경이 되었다. 지난밤 자정 무렵, 다급히 대문 두드리는 소릴 들을 때까진 말이다.

난 벌떡 일어나 겉옷도 걸치지 않고 뛰어나갔다. 초인종을 누르지 않는 건 그 애의 버릇이었다. 분명 나의 개입이 요청될 그런 일이 벌어졌음에 틀림없다. 하지만 생각만큼 극적인 사태는 벌어지지 않았다. 현관문을 열자 그 애가 내 품으로 파고들어 한동안 흐느낀 거 이외에는. 왜 그러냐는 물음은 그 애의 말문을 여는 주문이 되지 못했다. 훌쩍이며 어깨를 들썩일 뿐이었다. 그마저도 설움 때문인지 추위 때문인지 분간하기 어려웠다. 휴지를 갖다주고 등을 토닥여 주는 이외에 달리 해 줄 일이 없었다. 흐느낌 소리가 잦아들자 그 앨 주방으로 데려가 꿀물을 한 잔 타 주었다.

"저, 아줌마! 혹시 돈 있으면……."

뜨거운 김을 후륵후륵 불어가며 꿀물을 마시던 그 애가 마침내 한마디를 꺼냈다. 적잖이 당황스러웠다. 아무런 설명도 없이, 납득할 만한 이유도 대지 않고, 딱히 얼마라고 명시하지도 않으면서 돈을 빌려 달라니. 언젠간 반드시 갚겠다며 힘주어 다짐하는 모양새가 그냥 해 보는 말은 아니지 싶었다. 날 이윽히 바라보는 그 애의 충혈된 눈에선 뭔가를 결심한 사람의 단호함이 엿보였고, 외면했다간 평생 후회할 거라는 은근한 협박이 묻어났고, 그리고 무엇보다 조건 없는 신뢰를 요구하는 절박함이 배 있었다. 노인네의 눈치를 살피며 이리저리 차이던 어수룩하고 모자란 아이의 눈빛이 아니었다. 난 지갑에 있는 지폐를 몽땅 털어 그 애의 손에 쥐어 주었다. 마치 뭔가에 홀린 사람 모양 아무 생각 없이. 그래 봐야 만 원짜리 예닐곱 장, 천 원짜리 대여섯 장이 전부였지만 말이다. 이젠 손 시리지 않아요. 고맙다는 말 대신, 찻잔을 돌려주며 그 애가 웅얼거렸다. 그 애의 발소리가 계단을 타고 내려가 104호 문 안쪽으로 사라질 때까지 난 아무 생각도 판단도 하지 못했다. 멍하니 그저 서 있기만 했다.

"신발장 위에 흰 봉투가 하나 있을 거요."

노인네를 소파에 앉히고 돌아서는데 의도가 모호한 지시어가 날아온다. 이어질 부탁이 있으리라 싶어 그걸 찾아 들고서 노인네에게로 시선을 돌린다.

"집에 가서 펴 보오. 참고가 될까 싶어 한마디 덧붙이자면 멍석 한 닢이 절대로 지붕이 되어 줄 수는 없다는 거요."

말마디 하나하나에 확실한 무게를 싣고, 한 단어도 그냥 허술히 끼워 넣고 있지 않음이 느껴지는데도, 그 말의 의미는 구체적으로 잡히지 않는다. 그러고는 끝이다. 창 쪽으로 고갤 돌리는 노인네를 두고 하릴없이 현관문을 나선다. 그 애의 행방에 관해선 차마 묻지 못하고서.

트럭에는 쌀자루를 비롯한 전달 물품들이 얼추 다 실린 듯하다. 부녀회장의 차에 타고 있던 사람들이 한 자리가 비었다며 나를 부른다.

"그 애, 또 병이 도졌나 봐. 가출 병. 그래 봐야 며칠을 가겠어? 검사 사위 한마디면 그까짓 어리숙한 기집애 찾는 거, 식은 죽 먹기지."

"이봐요, 204호! 기집애한테 당했죠? 차비 정도는 얻어 갔을 거 아녜요? 노인네가 유독 곰살 맞게 굴 땐 뭔가 벼르고 있는 거라구요. 앞으론 당신한테 더 지독하게 굴 걸, 아마도!"

모두들 밤사이에 무슨 일이 일어났는지 훤하게 아는 모양새다. 그 애가 모자란 것 같아도 여간내기가 아니라며 불쌍해 보인다고 함부로 도와주면 안 된다고, 제 부모도 버린 아일 거두어 기른 공로로 봐선 교육적 차원에서 혼 좀 낸 걸 가지고 학대니 뭐니 떠들어 우리 아파트 명예를 더럽힐 필욘 없다고, 거동 불편한 노인네에게 그 앨 붙여 놓은 자식들의 효심을 우습게 봤다간 큰코다친다고, 그동안 내게 왜 한마디도 해 주지 않았는지 궁금할 지경으로 말들을 쏟아 낸다. 그들의 충고를 듣고 있자니 그동안의 내 노심초사가 한심한 탐정놀이로, 밤잠을 설치게 했던 그 애의 애잔한 뒷모습은 맥락 없이 눈물을 쥐어짜는 삼류 드라마의 마지막 장면으로 전락한다. 그럼에도 뭔지 모를 후회 같은 게 종종거리며 뒤따라온다. 그 애한테 내 전화번호라도 가르쳐 줄 걸, 털목도리라도 둘러 주고 굴러다니는 벙어리장갑이라도 껴 줄 걸 그랬다 싶은.

"혹시 노인네한테 봉투 안 받았어요?"

정해진 순서에 따라 일이 진행되는지 확인하려는 사람들처럼, 빤한 걸 숨길 필욘 없다는 표정으로 그들이 묻는다. 거부할 수 없는 힘에 이끌리듯 봉투를 들어보이자, 누군가 그걸 가져다입을 벌린다. 빳빳한 10만 원권 수표 세 장이 무릎 위로 떨어진다.

"하여간 경우 바른 노인네야. 자기 집 허물은 자기가 덮는다. 뭐 이런 생각 아니겠어? 기집애야 늦어도 낼모레면 잡혀 올 테고. 어쨌거나 204호 아줌마, 하루 사이에 이렇게나 두둑한 이잘 받았으니 한 턱 쏴요."

대단한 유머라도 들은 듯 모두들 깔깔거린다. 짜장면이 좋니, 수제비가 더 낫니 하며 점심 메뉴 타령까지 늘어놓는다. 그 앤 순식간에 그들의 관심 밖으로 밀려난다. 차창 밖으로 희끗희끗 눈발이 날린다. 으깨진 밥풀 같은 초라한 눈송이들이 와이퍼 위로 내려앉으려다 황황히 쫓겨나곤 한다. 분명 히터가 켜져 있을 텐데도 오싹 한기가 든다.

할리오나

우리는 기념하는 것을 기억한다.

머릿속에 떠오르는 대로 수첩에다 휘갈긴다. 기억에 없는 수많은 날들, 수많은 그들….

아직 오시지 않은 몇 분 때문에 140여 분이 기다리고 있습니다. 협박성 농후한 공지가 캠프촌 곳곳으로 퍼진다. 단 한 분이라도 빠지시면 프로그램을 진행하지 못합니다. 철저한 공동체주의자의 캠프에 참여하고 있음을 그녀는 새삼 깨닫는다.

차체가 높은 러시아제 승합차 푸르공을 타고서 졸며 오는 동안은 미처 생각하지 못했다. 비포장 길을 꼬박 열여섯 시간 넘게 달려 깜깜한 밤에야 도착했던 13년 전에 비해, 일부 구간의 포장도로 덕에 도착 예정시간이 네 시간이나 앞당겨졌다는 데에 감격하느라. 마을은 물론 사람이나 짐승조차 만나기가 하늘의 별따기인 몽골 초원의 광활함에 다시금 압도되느라. 그리고 무엇보다 2시간 간격으로 멈춰 서는 푸르공의 대열을 차단막 삼아 양편으로 남녀가 갈라져 급한 볼일을 해결하는 원시적 상황에 또 한 번 적응하느라.

진정성 넘치는 달변으로 자신의 독재를 모든 이에게 용납시키고 마는 대장의 개회사는 13년 세월을 무색케 한다.

"앞으로 열흘간 여러분은 칭기스터넛 캠프라는 한 부족국가의 구성원이며, 서로의 안전과 행복을 돌보아야 할 운명공동체입니다. 집행부의 통제에 절대적으로 따라주시고, 자유 시간 이외의 모든 프로그램에는 전원 참여가 원칙임을 명심하시기 바랍니다."

'말타기 명상여행' 이라는 괴이쩍은 여행상품을 개발한 그는 천진난만한 소년의 미소에다 거스를 수 없는 카리스마를 담아내는 비범한 능력의 소유자다. 14기째에 이른 만치 다소의 느슨함도 생겨났을 법 하건만 그의 말투와 표정에 실린 단호함은 조금치도 달라진 게 없다. 수많은 생면부지의 동행자들 앞에서 자기소개 따윌 해야 하는 데 대한 저항감을 무마시키는 데 늘 성공했는지는 알 수 없으나.

"한봄입니다. 만나서 반갑습니다."

누구보다 짧게 자기소개를 마치는 순간, 그녀는 기묘한 느낌에 사로잡힌다. 1기 캠프에서 곧장 14기 캠프로 건너온 것 같은,

그동안의 시간이 증발되어 흔적도 없이 사라져 버린 듯한. 왼쪽 젖가슴이 따끔거린다. 신경질쟁이 하씀머르….

"수고했어. 고마워."

하씀머르의 목줄기를 쓰다듬으며 감사의 말을 막 내뱉고 난 참이었다. 녀석이 순간 고개를 아래로 내젓는가 싶더니 그녀의 왼쪽 젖가슴을 왈칵 깨물었다.

"아얏!"

놀란 그녀가 가슴을 움켜쥐며 비명을 질렀다. 살점이 떨어져 나간 듯한 통증에 눈물이 확 고였다. 소년이 한 손으로 말을 밀치며 다른 손으론 그녀를 안았다. 말에게 물리던 순간의 격렬한 통증이 가라앉을 때까지 그녀는 소년을 밀쳐 내지 못했다. 아니, 그럴 생각 자체를 하지 못했다. 상처가 얼마나 깊은지 확인하려는 듯 셔츠를 젖히고 젖가슴을 들여다보는 소년의 눈길조차 허용하고 말았다. 젖가슴 안쪽으로 깊게 박힌 서너 개의 굵은 잇자국이, 피가 새 나올듯 말듯 잡힌 검붉은 상처가 선명했다. 두툼한 승마조끼 덕에 다행히 살은 찢기지 않은 듯했다. 소년이 안타까운 표정으로 뭐라 뭐라 지껄일 때에야 그녀는 화들짝 놀라 셔츠 깃을 여몄다. 뭘 보니? 그녀가 소년에게 짜증을 부리는 동안 하씀머르는 멍한 눈길로 하늘을 쳐다보고 있었다. 자긴 아무 상관없다는 듯이.

"수석 가이드 뭉흐바야트르입니다."

떠들썩한 환호성에 그녀는 눈을 떴다. 그 많은 사람들의 차례가 다 지나고 어느새 현지 가이드들의 소개가 시작된 모양이다. 아마도 졸았던가 보다. 빈 하늘로 향해 있던 하씀머르의 멍한 시선을 방금 본 것 같은데….

"울란바토르 대학 한국어과 졸업했고, 지금 한국계 회사 근무합니다. 캠프 1기 때 말타기 조교 했습니다. 대학생 되고 한국어 잘 해서 휴가 때마다 가이드 했고, 7기부터 이 캠프 계속 참가했습니다. 궁금한 질문, 무엇이든 물으십시오."

청년의 한국어는 충분히 알아들을 만큼 유창하다. 교과서적인 경어체에다 조사가 빠진 딱딱한 문장이며 어색한 발음조차 감탄사를 불러일으킨다. 참가자들의 아낌없는 박수가 쏟아진다.

누군가를 기념하는 사람에게서 그에 관한 기억은 만들어진다.

어쩌면 간절함인지 모른다. 그저 낙서이기만 할 것인가?

캠프의 공식적인 첫 일정이 끝났다. 별달리 쓸 게 없던 수첩을 챙겨 들고 배정받은 게르를 향해 나선다.

"저기 혹시……."

수석 가이드라고 자기를 소개했던 몽골인 청년이 그녀를 불러 세운다. 바짝 다가서서 얼굴을 똑바로 쳐다보면서 말이다. 당황스럽다.

"아, 네! 무슨 일로?"

빈집을 기웃거리다 들킨 사람처럼 민망하다. 왜인지 청년의 저돌적인 시선을 받아 낸다는 게 쉽지 않다. 그녀는 고개를 숙이고선 발밑의 돌부리를 괜스레 톡톡 찬다.

"할리오나라고, 아십니까?"

머릿속이 하얘진다. 멀리 도망쳐 왔다고 생각했는데, 단 한 번도 얼굴을 공개한 적이 없는데, 다만 사이트에서 사용하는 아이디일 뿐이었는데, 어떻게 알고서? 게다가 그는 몽골인이 아닌가 말이다. 얼굴이 벌게진 채 기어 들어가는 목소리로 그녀가 되묻는다.

"한라…?"

"네, 할리오나. 하얀 사슴, 초원의 하얀…!"

그가 말꼬리를 흐리며 그녀의 눈치를 살핀다. 따뜻하고 우호적인 눈빛이다. 비로소 마음이 놓인다. 그녀가 떠올린 한라산과 그가 물으려는 할리오나 사이에는 아무러한 연관성이 없는 듯하다.

"글쎄, 무슨 말씀이신지?"

그가 더욱 간절한 표정으로 그녀를 살핀다. 하지만 그녀에겐 달리 생각나는 게 없다. 엉뚱하게도 H가 속삭였던 첫 고백 때의 몇 마디 달콤한 찬사만이 떠오른다.

당신은 모딜리아니의 여자를 닮았어. 하늘을 담은 눈, 기다란 목, 한 마리 사슴 같은…

그녀가 H를 알아보지 못했더라면, 그래서 결혼에 성공했더라면, 그녀는 H에게 모딜리아니의 애틋했던 아내 잔느 에뷔테른으로 남았을까?

"텔레마케터예요."

그녀는 비전을 잃은 채 접두어로 남은 텔레와, 확실한 이해를 도우려면 마케터 앞에 놓아야 할 단어 보디에 대해선 말하지 않았다.

"아주 진보적인 직업을 갖고 계시네요."

대학 시간강사라는 H는 현대적이란 표현 대신 진보적이란 말을 썼다. 자신의 고객일리 없단 생각을 하면서도 그녀는 적잖이 놀랐다. 미친년, 지가 무슨 진보적인 페미니스트라도 되는 줄? 적당히 유식하고 적당히 품위 있는 단어들을 욕설에다 잘 버무릴 줄 아는 고객의 관리번호는 넘버 6이었다. 돈값 좀 해 봐, 화끈하게, 진보적으로! 지겹게 질척거리면서도, 수위가 높아질 때마다 규정액 이상의 현금을 바로바로 결제하는 매너 있는 고객은 넘버 11이었다. 단어에 민감히 반응하는 건 아무래도 직업병이라고 그녀는 생각했다. 그리고 H에게 첫 고백을 받은 지 얼마 지나지 않아 그 직업병적 민감성이야말로 전문가적인 초감각의 발현임을 깨달았다.

"너 따위완 달라. 사슴이 내지르는 생생한 사운드, 출렁거리는 백록담, 죽여줘! 아흐, 그 진보적인 골짜기, 손가락에 흐물흐물 잡히는…."

얼굴 없는 그녀의 몸뚱어리를 눈으로 더듬으며 마침내 한라산 정상에 오른 넘버 6이 신음처럼 쏟아 냈다.

"굳바이, 미친년! 굳바이 마운트 한라!"

넘버 6의 신음 소릴 들으며 그녀도 내뱉었다. 굳바이 개자식, 굳바이 H!

"제가 찾는 분인 줄 알고…. 실례했습니다."

청년이 돌아선다. 뒷모습이 왠지 낯익다. 고개를 한쪽으로 기우뚱 숙이고서 큰 보폭으로 허청이며 걷는 걸 처음 보는 것 같지 않다. 울란바토르 공항에서 전체를 대상으로 한 현지 가이드 소개 때 봤기 때문은 아니지 싶다. 그렇다고 푸르공을 타고 오는 열두 시간 동안 참참이 머물렀던 드넓은 초원에서 더러 스쳤기 때문도 아닌 것 같다. 1기 캠프 때 서로 얼굴을 마주쳤을 수도 있긴 하다. 혹시나…?

"저기요. 사실은 저도 1기 캠프에 참가했었어요. 찾는 분이 누구신지? 제가 도움이 될지도…."

순간 청년이 듣지 않았길 바라는 마음이 된다. 말꼬리가 순식간에 웅얼거림으로 바뀐다. 문득 두렵다. 하지만 청년의 귀는 어둡지 않은가 보다. 그녀가 관심을 가져주는 것에 몹시 감격한 표정으로 한걸음에 코앞에 와 선다.

"그때 내 말을 탄 아가씨, 얼굴 하얗고 목 길고 또 잘 웃습니다. 그땐 한국말 모르니까, 이름 잘 못 알아서 몽골말로 별명 불렸습니다. 할리오나, 하얀 사슴이라고."

어렴풋이, 짙은 안개 너머로 뭔가가 시야에 들어올 듯 말듯 어른거린다. 수천수만 겹의 먼지를 뒤집어쓴 채 저 아래 무의식의 밑바닥에 가라앉아 있던 무엇이 꿈틀, 뒤채는 것 같다.

하여 이전의 다른 만남이나 이후의 또 다른 만남에 의해 절대로 변형을 겪지 않는다.

몇 개의 풍경이 그녀 앞에 펼쳐진다. 오래전에 보았던 영화의 장면들이 서로 먼저 튀어나오려고 경쟁을 벌이는 것처럼 두서없이.

"봄! 누가 널 부르는 거 같아."

같은 게르를 쓰는 룸메이트 언니들과 오논 강을 향해 내려가는 길이었다. 따로 샤워시설이 없었으므로 여자들에게 할당된 시간 안에 끝내지 않으면 한 시간여를 더 기다려야 했다. 남자들이 모두 끝낼 때까지 땀과 먼지로 범벅인 채 불쾌한 냄새를 참으며. 캠프촌 쪽에서 한 아이가 그녀를 부르며 달려오고 있었다.

"어머나, 뭉흐! 웬일이야?"

이마에 흐르는 땀을 닦으며 소년이 헥헥거렸다. 꽤나 바삐 달려온 듯했다. 그리고는 반색하는 그녀에게 뭔가를 내밀었다. 한 줌의 풀잎이었다. 뭐라 뭐라 몽골말로 설명을 곁들였지만 도무지 알아들을 수 없었다.

"왓? 왓츠 디스?"

초보 수준의 영어회화나마 소통에는 그런대로 도움이 되었다. 8학년이라고 했으니 우리나라로 치면 중학교 2학년일 거였다.

"메더슨!"

소년이 풀잎 두어 장을 질근질근 씹어 뱉더니 그녀의 왼쪽 젖가슴을 향해 내밀었다. 미안함과 어색함과 간곡함이 뒤섞인 표정이었다. 당장 옷섶을 헤치고 상처에다 그걸 붙여 주기라도 할 듯 적극적인 손짓까지 동반한.

"어머, 얘가 또 왜 이래?"

그녀가 비명을 내지르며 누군가의 뒤로 숨었다.

"볼만한 것도 없는 주제에 호들갑은! 약초라잖니? 딴에는 네 상처 덧날까 봐 걱정했나부지. 저 땀 좀 봐라. 애 깨나 쓰고 다닌 모양이구만."

룸메이트 언니가 그녀에게 핀잔을 주면서 동시에 소년의 손에 들린 풀잎을 받아 들었다. 고맙다고, 수고했다고 치하하는 말과 함께 등을 두들겨 주기까지 했다. 안도의 미소를 지으며 소년이 뒤돌아섰다. 고개를 한쪽으로 기우뚱 숙이고서 제 키보다 큰 보폭으로 걸음을 내딛으며. 그러다 문득 뒤돌아보고선 외쳤다.

"씨유, 투마로! 바이, 할리오나!"

풍덩~

하늘에서 실한 돌멩이 하나가 툭 떨어졌다. 소스라치게 놀란 강물이 펄쩍 위로 튀어 올랐다. 그리고는 방울방울 쪼개져 그녀에게로 날아와 박혔다. 옴마야! 강물에다 발을 담그고서 바윗돌에 쪼그려 앉아 있던 그녀가 깜짝 놀라 일어섰다. 푸르르르~ 두 마리 말이 그녀의 등 뒤에서 콧바람을 뿜어냈다.

"어머나, 뭉흐! 이게 뭐야?"

"오츨라레, 오오츨라레…! 킬킬!"

미안하다는 건지, 재밌다는 건지 모를 일이지만 소년의 눈매는 그녀를 한 번 더 곯리고 싶다는 염원에 가득 차 보였다. 어쨌거나 그날의 말타기 여정을 마치고 현지인 조교들이 철수한 건 벌써 두 시간도 더 전이었다. 점심식사와 낮잠을 겸한 휴식 이후 명상시간이 이어지고 있었으므로.

"아직 집에 안 갔어? 여기서 뭐해? 점심은? 배 안 고파?"

그녀는 들고 있던 비스켓 봉지를 내밀며 소년에게 연거푸 질문을 퍼부었다. 그가 뭐라뭐라 대답을 했다. 빈데르솜, 20길로, 하씀머르, 할리오나 따위 몇몇 단어가 귀에 들어왔다. 짧은 영어와 자기네 몽골어를 섞은 의사표현이 도무지 부정확하여 제대로 알아듣진 못했지만, 대충 뜻은 이해가 되었다. 하씀머르가 빈데르솜 마을의 집으로 돌아가고 싶어 하지 않는다, 아마 엊그제 네 가슴을 문 일에 대해 사과하고 싶은 것 같다, 용서해 준다면 20킬로미터 떨어져 있는 빈데르솜까지 태워 주겠다, 하는 정도. 간지럽기만 한 명상시간을 빼먹고 몰래 강가에 나와 있던 그녀는,

더욱 자극적인 일탈에의 유혹을 거부할 수 없었다.

"시간이 얼마나 걸리는데? 하우 머치 타임?"

"으음~! 트웬티? 써티?"

가능할 것 같았다. 대장의 명상 관련 강의까지 이어진다면 앞으로 최소 두 시간은 프로그램이 진행될 것이었다. 오케이! 그녀는 게르로 돌아가 다시 복장을 갖추고, 캠프 장 바깥쪽 외진 길을 따라 강으로 내려갔다. 행여 누군가의 눈에 띄지 않도록 최대한 몸을 낮추고 발소리를 죽이면서.

"누굴 찾니? 설마 나?"

"귀밑머리 솜털도 안 가신 앨 삶지도 않고서 홀랑 삼키시려구? 참말로 주책이셔."

룸메이트들이 히죽거리는 소리에 그녀는 게르 문밖으로 눈길을 돌렸다. 분홍빛 저녁놀을 배경 삼아 한 소년이 꽃다발을 들고 서 있었다. 노을빛에 발그레 물든 소년의 볼에서 바람 소리 같은 게 났다. 싸인바이노~?

"어머머, 뭐래? 싸인해 달라구?"

"안녕하시냐고 인사하잖아요. 캠프도 끝나 가는데 여직 못 알아들어요?"

그녀는 제 나이의 두 배쯤 되는 언니들에게 간단한 인사말조차 익히지 못했다며 핀잔을 주었다. 소년이 머쓱한 표정을 지었다. 몽골의 전통의상 델을 개량한 푸르스름한 외투에 금색 허리

띠를 두른 모습이 꽤나 근사했다. 하지만 바로 그 때문에 누군지 얼른 알아봐지지가 않았다.

"마이 네임 이이즈 뭉흐바야트르. 으음, 아이 위시 미트 할리 오나!"

순간 그녀는 소년의 정체를 파악해 냈다. 이틀 전까지 그녀의 말타기 조교였던 뭉흐였다. 장난기 가득한 눈빛으로 말을 몰아대던 다부진 체격의 소년, 제 승마실력을 과시하려는 듯 수시로 그녀를 버려두고 대열의 한가운데를 질주하다 안전요원이기도 한 가이드들에게 혼나곤 하던 아이. 그리고 이틀 전, 규정위반에 걸려 마침내는 조교 자격을 박탈당한 친구였다. 사고 발생의 위험을 무시하고 그녀에게 무단으로 말타기 개인교습을 시킴으로써 프로그램 운영에 지장을 초래하고 구성원 전체에게 불편과 심려를 끼친 데 대한 벌칙이었다. 물론 그녀 역시 대장에게 적잖은 훈계를 들어야 했다.

"아임, 에에, 으음…!"

소년의 눈까풀이 파르르 떨렸다. 꼴딱 침 삼키는 소리가 게르 안쪽으로까지 들려왔다.

"아, 맞다. 우리 봄일 납치하려다 실패한 그 아이! 너 증말 대단했어. 들어와, 들어와!"

도톰한 몸집에 후덕한 인상을 가진 아줌마 룸메가 소년을 잡아당겼다. 평소답지 않게 몹시 긴장하고 있는, 조용하고 엄숙하기까지 한 소년의 표정이 우스꽝스러웠다. 게다가 무슨 행사에 참여하러 온 것도 아니면서 뜬금없는 전통의상이라니!

"수석 가이드한테 쪼인트 까이고 대장한테 쫓겨나고…. 나 같음 드러워서 뒤도 안 돌아볼 텐데, 봄이가 그리도 좋드냐? 요 폼새 봐라, 고백할려구 작정을 하고 나섰구나. 히힛!"

또 다른 아줌마 룸메가 호들갑을 떨었다. 삼십 대 중반의 노처녀 룸메도 엄지손가락을 치켜 올리며 침을 튀겼다.

"굿, 굿! 위풍당당 몽골 보이, 브라보!"

소년이 하필 그때사 말고 그녀에게 꽃다발을 내밀었다. 할리오나, 참다악 하이르태! 리브 유! 재빠르게 내뱉고선 성큼 뛰어나가는 소년의 등 뒤에서 세 명의 룸메들이 키득거렸다.

"쬐그만 게 제법 강단 있네! 뭐라구 했지, 사랑한다구? 지금 봄이한테 고백한 거야?"

"아무렴 언니한테 했겠어요? 하이구, 저 새침데기! 장대 같은 모가지가 벌게졌네!"

"앞으론 연하남이 대세라드만 우리가 지금 선진지 견학을 온 건가요?"

그녀는 얼결에 받아든 꽃다발에다 얼굴을 묻었다. 볼따구니가 홧홧거려 도무지 어디다 눈을 두어야 할지 알 수 없었다. 보랏빛 라벤더 꽃무리에서 함초롬한 이슬 내음이, 저녁별의 그윽한 향이 풍겨났다.

그러므로 내 인생의 빛나는 어느 시점인가를 찾아 펼친 다음,

여전히 그 자리에 머물러 있는 무엇과 조우하게 된다면, 그땐 나 스스로 기념의 주체가 될 수도 있으리라.

게르는 그때처럼 아늑하다. 둥그런 벽면을 따라 머리와 발꿈치를 잇대고 누운 네 개의 나무 침상과 그 위에 깔린 양털 담요며 비단 이불, 그리고 침상마다 둘러쳐져 모기의 공격을 차단하는 동시에 개인 공간을 확보해 주는 모기장까지. 쌀쌀한 몽골 초원의 밤공기를 태우려고 한가운데 자리 잡고 앉은 무쇠 난로 또한 여전하다.

"반가워요."

회갑을 자축하고자 왔다는, 오십 대로도 보이지 않는 동안의 할머니가 룸메이트들에게 먼저 악수를 청한다. 어머, 그러세요? 전 명예퇴직을 자축하러…. 저는 이혼 자축 여행인데…. 우왓! 의기투합을 공표하듯 서로의 손바닥을 부딪치던 세 사람의 시선이 일순 그녀에게로 쏠린다. 전 이별 자축 여행이요! 왁자한 웃음소리가 한 번 더 장작불을 들쑤신다.

"쯧쯔, 가여운 친구들 같으니. 나야 뭐 남정네랑 등 한 번 기댄 적 없는 생 처녀니깐 그렇다 치고, 젊은이들이 왜 모두들…!"

"젊다뇨? 임금 피크제다 뭐다 해서 낼 모레면 쫓겨날 판인데. 이 나이에 부하직원 밑에서 계약직으로 일하게 생겼어요? 먹여 살릴 자식도 없고, 독신주의자 자존심에 확 사표를 던져 버렸죠.

흐흐흐!"

"저도 적잖이 삼십 년을 견뎌 낸 중견이랍니다. 막내가 대학만 가면 이혼 할려구 별렀는데 시집보내려니 흠 잡힐까 봐 또 몇 년을 참고 참았지요. 이젠 앓던 이가 쏙 빠진 것처럼 시원합니다."

세 사람의 눈길이 다시 한 번 그녀에게로 쏠린다. 서른셋이나 되었는데도 그때처럼 나이가 두 배 가까이 되는 언니 룸메이트들에 둘러싸여 있다. 관심의 집중포화 대상이 되는 것 또한 여전할 게다.

"결혼할 뻔했는데…. 글쎄, 그 남자가 양다리를 걸쳤지 뭐예요?"

영상 속의 그녀와 실제의 그녀를 한 치도 근접시키지 못한 H의 안목 없음에 감사해야 했을까, 저주해야 했을까? 한 번도 해 보지 않은 질문이 문득 떠오른다.

"그런 나쁜 놈하곤 잘 헤어졌어. 이렇게 젊고 예쁜데 어디 간들…?"

할머니 룸메가 눈을 찡긋거리며 그녀의 어깨를 토닥인다. 그리고는 모두를 가까이로 불러 모으더니 바짝 머리를 맞대고서 소곤거린다.

"자축 파티에 술이 빠지면 뭔 재미야? 몰래 챙겨온 포도주가 있으니 한 잔씩 하자구. 어때?"

반정부 모의라도 하는 사람들처럼 결연한 표정이 되어, 슬그머니 내려앉은 반말에도 별 저항감을 보이지 않고 모두들 고개를 끄덕인다.

"금주가 이 캠프의 철칙이라니 행여 알려지면 곤란해. 모두들 입조심, 말조심!"

흰 종이컵에서 검붉은 보랏빛 포도주가 남실댄다.

배꼽에다 부어. 한 방울씩 천천히, 그렇지, 거기로 흘러내리게끔…. 넘버 14는 포도주가 그녀의 계곡을 따라 흐르기 시작하면 짐승처럼 울부짖기 시작했다. 그럴 때면 항상 유아 마이 에브리씽~, 청동기 시대 유물 같은 산타 에스메랄다의 흐느끼는 음색이 배경으로 깔리곤 했다. 골동품적 취향의 낭만보이 넘버 14도 이젠 굳바이!

빌어먹을 쌍판때기 한 번 보여 주는 게 뭐 그리 아까워서! 넘버 9는 절대 금기인 얼굴 확인 요구까지 늘어놓으면서도 사이트 이용료 이외엔 단 한 푼도 내놓은 적이 없었다. 사정에 성공한 순간 거친 욕설과 함께 돈다발을 포도주에 적셔 마구 흩뿌리긴 했으나, 그건 어디까지나 영상 안에서였다. 그의 돈다발 퍼포먼스는 일견 물신에 포섭된 디오니소스의 타락을 조롱하는 듯도 했다. 인색한 행위예술가 넘버 9도 이젠 굳바이!

"씨름 선수니? 기껏 한 잔을 가지구 들었다 놨다 하게?"

"그 내숭이 얼마나 가겠수? 아직은 팔리는 처녀 아니우? 메뚜기도 한철이라는데 도도하라고 내비 둬유!"

살짝 꼬부라진 혓바닥 위에서 굴러 떨어지는, 나이 든 여자들의 유머에는 뭔지 모를 비애감이 서려 있다. 환갑이 다 되도록 남자에게 애면글면 해 본 적 없는 당당한 처녀라고, 주도권 확보에 목숨 거는 6개월 이상짜리 연애엔 관심 없는 독신주의자라고, 결혼 생활 30년을 독립 쟁취를 위한 투쟁에 바쳤고 마침내 승리를 거머쥔 이혼녀라고, 자랑스럽게 늘어놓는 그녀들의 허세 뒤에 어린 우울감이 그녀에게도 전염되어 온다.

다만 인상에 불과할 뿐일지라도, 나에 대한 기억이 만들어진 그 순간이 사실 나의 총체를 구성하는 것과는 아무러한 연관이 없다 할지라도.

차가노르 언덕의 돌무지 제단 오붜, 그들의 신성한 땅에서 펄럭이던 천 조각들, 그리고 풍성한 머리카락을 휘날리며 제단 한가운데 우뚝 서 있던 왕관….

추~추~ 소년이 말을 몰아댔다. 그녀는 두 발로 앙버티고 서서 뿌연 먼지를 들이키며 정신없이 뒤쫓았다. 숨이 차고 다리가 후들거렸다. 쉬자! 잠깐만 쉬자구! 소년이 알아듣도록 하려면 단순한 영어 단어로 꽥꽥 소릴 질러야 했다. 타임, 타임! 챙겨 온 200㎖의 물은 금세 바닥이 나고 말았다.

족스! 소년이 자청하여 말들을 멈추게 한 곳은 돌무더기를 쌓아 올린 제단 앞이었다. 몽골의 신들이 머문다는 오워임에 분명했다. 제단 한가운데엔 기다란 장대가, 그리고 그 꼭대기엔 흰 머리칼을 휘날리는 왕관이 빛살을 뿌리며 서 있었다. 제단과 장대의 주변을 휘감은 몇 가닥 줄에서 색색의 천들이 만국기처럼 펄럭였다.

그녀는 헬멧을 벗고 사방을 둘러보았다. 눈 아래로 헨티아이막의 드넓은 초원이, 게딱지처럼 옹기종기 모여 있는 칭기스터넛 캠프의 하얀 게르들이, 실개천으로 흐르는 오논 강이 한눈에 조망되었다. 소년의 뒤를 따라 정신없이 달렸을 뿐인데 캠프촌에서 멀리 올려다보이던 언덕까지 올라온 거였다.

어디선가 우웅거리는 소리가, 풀꽃을 어루만지는 여린 바람 소리가 들려왔다. 소년이 돌 하나를 주워 들고 제단 주변을 느린 걸음으로 맴돌았다. 노래 같기도 흐느낌 같기도 한 특이한 가락을 흘리면서. 헤아릴 수 없는 깊은 우수가 서린, 어쩌면 바람 같고 어쩌면 물소리 같은 그런 기이한 가락이었다. 소년의 소리는 왕관에 장식된 창날을 스치고, 휘날리는 머리칼을 매만지다 오색의 천 쪼가리들 위에서 멈칫거렸다. 돌무지 사이로 스몄나 싶으면 창공을 향해 흩어지고, 바람결로 사라졌나 싶으면 이내 풀꽃이 되어 하늘거렸다.

오워 주위를 몇 바퀴쯤 돌고 난 그가 손에 들고 있던 돌멩이를 제단의 돌무지 위에다 얹었다. 장난기로 똘똘 뭉친 평소의 소년답지 않은 경건함과 엄숙함이 그녀를 압도했다. 뭔가 신령스런 기운이 그녀를 감쌌다. 자기도 모르게 눈가가 촉촉이 젖어 들었다.

"탱그리께, 신들에게 빌었습니다."

청년의 눈길이 깊은 밤하늘의 촘촘한 별빛을 뚫고 아주 먼 곳으로 날아간다.

"오붜에 올린 돌, 그리고 흐미 소리, 거기다 진짜 마음 다 담아서."

그녀는 오랜 시간 저 너머로 날아가는 그의 시선을 차마 따라가지 못한다. 다시 붙잡아다 놓을 수도, 또 그럴 만큼의 의지를 낼 수도 없다.

"신들의 대답 받았습니다. 할리오나 약속했습니다. 다시 온다고."

다시 오겠단 약속 따윌 했더란 말인가? 그녀는 스무 살 어린 처녀의 섣부른 약속이 한 소년에게 새긴 깊은 생채기에 형언할 수 없는 연민을 느낀다. 그럼에도 그녀는 말하지 못한다. 네가 찾는 할리오나가 바로 앞에 서 있다고, 결국은 약속을 지키지 않았냐고, 그렇게나 긴 세월 만나고 싶어 했다면 왜 한눈에 알아보지 못하느냐고….

"여기 캠프 해마다 오는 것, 할리오나 혹시 왔는지…. 철없는 사춘기 기도인 것 압니다. 한국인 여자 아내로 주라, 정말로 억지주장입니다. 그렇지만 신들께 한 번 바친 기도 바꿀 수 없습니다."

청년의 이마에 짙은 고뇌가 서린다. 아내, 그녀로선 그때나 지금이나 도무지 상상도 할 수 없는 단어다. 청년의 신들이 그 단어의 사용권을 그녀에게 허락해 주려 할까? 풋! 터지려는 냉소를 그녀는 허겁지겁 틀어막는다. 청년에 대한 최소한의 예의는 지켜 주고 싶다.

"뭉흐! 많이 변했을 거예요. 혹시 만난다 하더라도 뭉흐가 기억하는 할리오나와는 다를 거예요."

"아마 그 말 맞습니다. 할리오나도 나 못 알 것입니다."

그랬다. 듬직한 어깨를 가진 속 깊은 눈빛의 다부진 몽골 청년에게서 먼지를 뒤집어쓴 까무잡잡한 시골아이의 얼굴을, 장난기로 번득이던 땡그란 눈동자를, 장대높이뛰기 선수처럼 말 위로 펄쩍 뛰어올라 고삐도 잡지 않고 내달리던 겁 없는 소년을, 어떻게 찾아낼 것인가? 한순간 스치고 간 산들바람을 가슴에다 새겨 둘 종달새는 없다.

"사실은 편지 읽으려고, 또 할리오나 찾아가려고, 한국말 배웠습니다."

편지까지 써 주었더란 말인가? 혹시 보여 줄 수…? 목젖까지 치밀어 오른 말을 그녀는 꿀꺽 삼킨다. 하얀 피부, 가늘고 긴 목, 깊은 눈동자, 그리고 까르륵 웃음소리…. 청년은 기억 속의 할리오나를 자기가 아는 최상의 한국어 단어로 묘사하려 애쓴다. 유치하고 감미롭고 또 서글프다.

"방법을 찾아볼게요. 한국에 가면 꼭 알아봐 줄게요."

그녀는 또 한 번의 공허한 약속을 하고 만다. 아무리 탐욕스런 눈빛으로도 욕망의 끝 간 데를 쫓지 못해 울부짖던 스무 남짓의 단골은 물론, 한 번쯤 스쳐 지나간 연대병력의 고객들에게 던져 주곤 했던 것처럼. 꼭 안아 줄게! 죽여줄게! 문득 그들 모두에게 그녀는 실종상태가 되고 싶었다. 지금쯤은 이미 마운트 한라에 대해선 까마득히 잊었을, 다른 보디마케터의 몸을 더듬느라 눈자위가 짓물렀을, 가난하고도 애잔한 그들. 그녀는 그들을 정말로 H와 바꿔치기 하고 싶었던 걸까? 스무 살의 날들에게 답을 구할 수 있을까?

"고맙습니다. 부탁드립니다."

몽골 초원의 밤바람이 청년의 머리칼을 헤집으며 지나간다. 아이의 머릴 쓰다듬는 엄마의 손길처럼 부드럽고 또 애틋하다. 수수만 개의 별들이 일제히 타오르기 시작한다. 지평선마저 삼켜버린 깊은 어둠이 어디서 그리도 많은 불꽃들을 휘몰아 왔는지!

그러므로 모든 기억은 선별된 것들이며, 기념한다는 건 사실 여타의 기억을 지우는 일이기도 하다.

그녀는 바위 잔등에 앉아 수첩에다 몇 문장을 더한다. 무엇을 위한 기록인가?

찻잎을 우려낸 듯한 짙은 갈색의 강물을 그녀는 스무 살 여름에 처음 보았다. 그 여름날, 그토록 탁한 색깔이 바닥의 돌멩이를 보여 줄 만큼 투명한 것에 그녀는 놀랐다.

그리고 다시 서른셋의 여름날, 그녀는 발바닥을 간질인 자갈돌이 십삼 년 전의 그 돌멩이인지 문득 궁금하다. 강은 드넓은 초원을 내달리는 데만 넋이 팔려 그녀에게 일별도 주지 않고 촬촬 거친 소릴 내며 흘러간다.

한 번 더 이 강물에 발을 담글 수 있을까?

"몽골의 빛과 바람이여, 내 손으로 들어오시라!"

마이크를 타고 흘러나오는 명상치유 전문가의 선창에 70여 명의 후창이 이어진다. 몽골의 빛과 바람이여, 내 손으로 들어오시라! 다양한 음색의 조화가 빚어내는 소리는 신비롭고 또 장엄하다.

"내 손을 통해 이 귀한 분에게,"

그녀는 이혼 자축 여행을 왔다는, 평생의 전장에다 딸을 떠밀어 보내고서야 독립 쟁취에 성공한 룸메의 배를 문지르며, 시 구절을 외듯 따라 읊는다. 내 손을 통해 이 귀한 분에게~

"치유의 기운으로 쏟아져 들어가시라!"

그녀는 전문가의 동작에 따라 짝의 손과 발을, 다리와 팔을, 어깨와 가슴을, 그리고 배와 등을 문지르고 두드리고 눌러 주고 토닥인다. 그러면서 따라 읊조린다. 치유의 기운으로 쏟아져 들어가시라! 냉기 가득했던 짝의 손발이 조금씩 따스해지기 시작한다.

한 타임이 끝나고 나자 서로 자리를 바꾸어 이번에는 그녀가 눕는다. 치유 받는 사람에서 치유하는 사람으로 위치가 바뀐 또 다른 70여 명이 전문가의 선창을 따라한다. 난 오직 바람의 손길일 뿐, 난 오직 빛의 전령일 뿐! 짝의 목소리엔 약간의 흥분기마저 서린다. 귀한 분이시여, 내 손이 당신을 치유하는 매개가 되도록 허락하소서!

그 시간들에 대한 지난 스무 살의 기억은 그저 간지럽기만 했다는 것이다. 말타기로 놀란 근육을 이완시킬 뿐 아니라 그동안 쌓인 스트레스를 풀어 혈액순환을 원활케 함으로써 몸과 맘을 치유한다는 따위, 대장의 강력한 메시지 또한 털끝만큼도 와 닿지 않았다. 그녀는 종종 오논 강의 풀숲으로 도망을 치곤했다.

강은 그때마다 그녀 한 사람만을 위해 흘러 주었다. 풍덩, 물방울을 튀기며 강 한가운데로 떨어지던 돌멩이들을 품고, 두 마리 말이 내뿜던 푸르르 콧바람 소리를 끌어안고서.

호미 가락이 깜빡이는 촛불들 사이에서 흐느적인다. 마두금, 호츠루, 야트가…, 몽골의 전통 악기들이 불러내는 초원의 물소리 바람 소리에 젖어, 둘러앉은 140여 명의 가슴에 내장된 24현금 갈비뼈의 공명에 흠뻑 취해….

숙연한 촛불의식으로 몽롱해진 이들은 닥치는 대로 아무나 끌어안고 사랑합니다, 감사합니다를 연발하며 오랜 세월 가둬 두었던 다정(多情)의 말들을 헤프게 뿌려 댄다. 다시 만날 일 없을, 관계에서의 책임 따위 공유하지 않을 사람들끼리 나누는 애틋하고도 시원스런 작별의 인사. 캠프의 마지막 밤조차 술 대신 감상으로 채우게끔 하는 대장의 엄격함에 대한 불만도 다 누그러져 있다. 쏟아지는 별빛을 향해 삼삼오오 짝을 지은 사람들이 초원으로 나선다.

"한봄 님! 잠깐 시간 낼 수 있습니까?"

뭉흐바야트르다. 140여 명을 수용하는 엄청난 크기의 대회의장 게르에게 작별인사를 하려고 룸메이트들과 기념사진을 막 찍고 난 참이다.

"젊은 처자를 할마씨들이 차지하려 들면 안 되지, 암! 우린 먼저 가 있을 테니 얘기 나누고 천천히 와요."

남은 포도주로 캠프의 마지막 밤을 적시자던 룸메 언니들이 부러움인지 비난인지 모를 말을 남기고 지나쳐 간다.

"저 다음부터 캠프 안 옵니다. 그거 알려 드리고 싶어서."

"왜요? 뭉흐처럼 한국어에 능통한 가이드가 이 캠프엔 꼭 필요하잖아요."

뭉흐가 현지 가이드 역할을 그만둘 거라고 굳이 말하는 이유를, 그녀는 물어보지 못한다. 이글거리는 그의 눈빛이 더 이상의 질문을 차단시킨다.

"우리 몽골, 한국어 전공자들 많이 졸업합니다. 캠프 걱정 없습니다."

눈빛과 달리 그의 대답은 시답잖다. 그리고는 한동안 말이 없다. 둘 사이를 가로지르는 어색스런 침묵이 그녀를 내리누른다.

"밤마다 보는 별빛이지만 오늘 밤은 더 유난하네요."

그녀가 침묵을 깬다. 내용 없는, 아무런 감정이 섞이지 않은, 돌아서면 얘길 나눴는지조차 생각나지 않을 평범한 말로. 어쩌면 그에게서 아무 말도 튀어나오지 않게끔 막아야 한다는 강한 열망에 차서. 그렇군요, 또는 네 하는 식의 간단한 응수조차 그는 하지 않는다. 게르의 룸메 언니들이 기다리니 가 봐야겠다고 말하려 할 즈음에야 마침내 그가 입을 연다.

"사실은 드릴 게 있어서…"

그가 내민 건 모서리가 닳아진 메모지 크기의 조그만 봉투다. 순간 가슴이 쿵 내려앉는다. 청년 뭉흐의 눈빛이 서늘하다.

"다 외워서 자동 메모리 재생됩니다. 드리고 싶습니다."

"이걸 왜 제게?"

"할리오나 편지 돌려주라고, 내 마음이 그렇게 말합니다."

그의 동문서답에 그녀는 할 말을 찾지 못한다. 이미 알고 있었던 걸까? 그녀가 말해 주기를 기다렸던 걸까? 초원의 밤바람이 그의 눈동자를 스치고 지나간다.

"그리고 이거!"

그가 종이 백을 하나 내민다.

"할리오나 찾으면 전해 주십시오. 바이르테밴! 그리고 하이르태! 이 말도 꼭!"

반가웠다고, 사랑한다고, 그 말을 전해 달라고? 그녀가 멍해 있는 사이 그가 손을 흔들어 보이며 돌아선다. 그의 그림자가 점점 멀어진다. 그녀가 큰 소리로 외쳐 묻는다.

"못 만나면요? 그러면 어떻게 하지요?"

대답은 돌아오지 않는다. 무겁게 쳐진 한밤의 어둠 속으로, 찢어질 듯 위태로운 빛의 그물 속으로 그의 그림자가 빨려 들어간다.

그것은 어쩌면 망각의 한 형식일지도…

안에는 보랏빛 꽃들로 엮은 화관이 들어 있다.

8월의 헨티아이막 초원에 지천으로 피어나는 보랏빛 꽃들. 라벤더, 구절초, 에키놉스, 그리고 꽃고비며 쑥부쟁이들. 여름 한철이 지나고 나면 아무도 찾지 않을 초원에다 꽃들은 연보라에서 파랑에 이르기까지 셀 수 없이 많은 다양한 보랏빛들로 수를 놓는다. 말발굽에 채이고 양이나 염소에게 뜯기고 또 그것들의 배설물을 뒤집어쓰고서도 싱그런 향기를 내뿜으며.

네 노래를 잊지 못할 거야.

라벤더 향 가득한 보랏빛 꽃다발도.

언젠가 다시 올게. 어쩌면 10년 후쯤에나?

뭉흐! 그때도 널 만날 수 있을까?

그녀는 화관을 머리 위에다 얹어 본다. 멀리 가 버린 날들의 향기가 그녀를 휘감는다. 함초롬한 이슬 내음, 그윽한 저녁별의 향내, 그리고 소년이 몰고 온 뿌연 먼지와 따가운 햇살과 말똥 냄새들이.

스무 살의 날들을 다시 불러들일 수 있을까? 그래도 괜찮은 것일까?

내 이름은 영웅이다

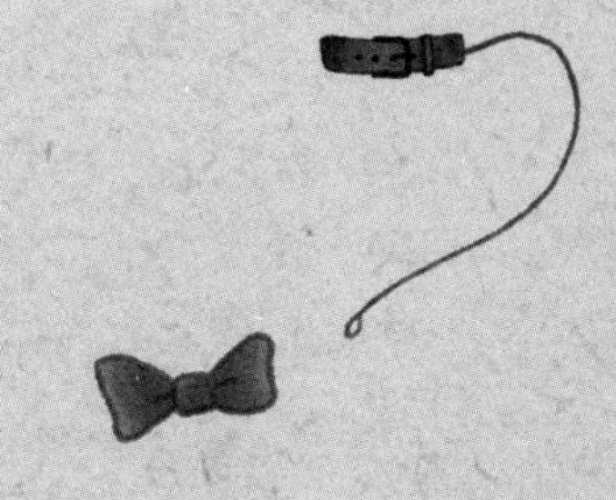

내 이름은 영웅이다.

하지만 엄마는 주로 '울 애기' 라든가 '왕자님' 같은 별명으로 나를 부른다. '눈치꾼' 이니 '번개' 니 하는 식으로 기분에 따라 달리 부르기도 한다. 아빠가 즐겨 부르는 '알통' 이나 '숏다리' 따위 내가 좋아하지 않는 별명까지 합치면 워낙 많아 여기서 다 주워 삼길 수는 없다.

어쨌건 난 그들 사이의 단 하나뿐인 유일한 아들로서, 내가 원하는 것이라면 무엇 하나 거절 당한 적이 없다. 끄응 한마디 소리면 모든 게 해결된다. 울거나 떼를 쓰며 구를 필요도 없다. 집안에서의 내 절대 권력은 어떤 경우에도 흔들리지 않는다.

"어머, 요 녀석 봐라! 의자에 앉혀 달라고?"

내가 뭔가 새로운 행동 하나만 보여 줘도 그들은 마냥 흐뭇해

한다. 낑낑대며 엄마의 식탁 의자로 손을 뻗쳐 댔더니, 눈치 빠른 엄마가 컴퓨터 책상용 회전의자를 밀고 온다.

"유아용 식탁 의자를 하나 사얄까 봐요. 왜 꼬맹이들 앉히는 다리 긴 의자 있잖아요?"

"의자뿐이겠소? 숟가락질이라도 할 기세니 아예 식기류 세트도 사 주구려. 허허, 그 녀석 참!"

반찬그릇에 마구잡이로 집어넣는 내 손을 밀쳐내면서도 그들의 얼굴에선 웃음기가 가시지 않는다.

아빠 차가 대문 밖을 빠져나간다. 쿠아앙! 둔중하고 품위 있는 긴 여운을 음미하며 손가락으로 유리창을 긁어 준다. 매일 아침 아빠를 배웅하는 나만의 작별인사 법이다. 그럴 때마다 엄마가 머릴 쓰다듬어 준다.

"우리 왕자니임! 아빠가 가 버려서 섭섭했어요오?"

모음을 하나씩 더 얹어서 애교스럽게 날 어르는 그런 순간의 엄마는 참으로 예쁘다. 어쨌거나 이젠 엄마 차례다. 난 몹시 슬퍼진다. 초저녁 어스름이 내릴 때까지 난 혼자 있어야 한다.

"여기 울 애기 바압, 바닥에 흐트려 놓으면 안 돼요오. 요기 기저귀에다만 실례하는 거 잊지 말구우."

엄마는 스카프를 매며 언제나와 똑같은 말을 한다. 그리고는 라디오를 튼다. 오늘도 역시 KBS FM이다.

내가 좋아하는 피아노 소리가, 그 탱글탱글하고 통통 튀는 물방울 소리가 상큼하게 흘러나온다. 좀 있으면 내가 젤 좋아하는 톤의 부드러운 목소리로 남자 디제이가 지금 듣고 있는 곡에 대해 설명해 줄 것이다. 이어 발랄한 여자 디제이와 날마다 바뀌는 음악가 게스트들이 수다를 떨 것이고, 그런 다음엔 한국의 전통 가락과 판소리 공연 등이 이어질 것이다. 그 사이 집 안을 몇 바퀴 돌다가, 내 침대에서 졸다가, 비스킷 같은 밥알을 오도독 씹어 먹고, 수통에서 물을 빨아먹고, 엄마가 깔아 놓은 기저귀에 몇 번 실례를 하고, 공이나 장난감을 굴리며 놀다 보면 해가 설핏해지는 저녁이 온다.

푸르르응! 엄마의 차는 시동이 꺼지는 순간 저렇듯 코맹맹이 소릴 낸다. 날마다 듣는데도 난 참을 수가 없다. 나보다 훨씬 덩치 큰 녀석에게 질세라 한껏 소릴 높여 환영인사를 내지른다. 까강깡깡!

"하루 종일 심심했지이? 요, 눈치꾼, 버얼써 현관문 앞이야? 가자, 가자아!"

난 정신없이 뛴다. 하루 중 가장 행복한 시간이다. 안방에서 거실로, 내 침대에서 식탁으로, 화장실에서 현관으로 마구 휘젓고 다닌다. 엄마가 내게 노랑 조끼를 입히고 나긋거리는 갈색 가죽 목걸이를 채운다. 드디어 유리문 바깥의 세상이 나의 것이 된다.

털을 민숭하게 밀어 갈비뼈가 다 들여다보이는 못생긴 프렌치

불도그인가 뭔가 하는 녀석이 버릇없이 으르렁댄다. 뚱뚱한 주인 아줌마한테 발길질이나 당하는 개새끼 주제에 멋쟁이 엄마의 아들인 나에게 감히….

"아직 사태파악이 안 되나본데, 너랑 나랑은 달라. 넌 개! 난 사람!"

"웃기고 자빠졌네. 꿈 깨! 이 등신아!"

마주칠 때마다 똑같은 경멸감이 녀석과 나 사이에서 불꽃을 튀긴다. 저런 무식한 놈들은 제 힘만 믿고 거들먹거린다. 평생 클래식 음악이라고는 그 근처에도 가 보지 못했을 것이다. 난 얼른 엄마 품으로 뛰어든다. 고개를 빳빳이 세우고 한껏 녀석을 무시하는 눈빛으로 지나친다. 얼른 자라서 아빠처럼 어른이 되어 저 못된 녀석을 발로 차 주리라.

주근깨 여자 뒤에서 누런 털북숭이 개가 나타난다. 산책로에서 처음 보는 녀석이다. 의기양양한 내 자태에 주눅이 들었는지 가까이 다가갈수록 녀석은 여자의 뒤로 딱 붙어 숨는다. 주근깨 여자가 날 보자마자 미친 듯이 탄성을 내지른다.

"어머, 귀여워! 요크셔테리어 종 맞죠? 몇 살이나 됐어요? 나도 이런 아일 데려다 기를 걸 암만해도 잘못한 거 같아요."

무식하게도 날 겁 많고 멍청하고 헥헥거리며 주인 뒤꽁무니나 쫓아다니는 그런 개 종류의 하나로 보다니. 엄마가 주근깨 여자의 잘못된 생각에 일침을 놓는다.

"울 애기, 잘생겼죠? 두 살이랍니다."

털북숭이 개가 주근깨 여자의 다리에다 제 코를 비벼댄다. 여자의 관심을 자기에게로 돌리려는 수작이다. 가당치않게 사람인 내게 질투심을 느끼다니….

"어머, 얘가 어때서 그래요? 잘 빠졌구만. 골든리트리버 맞죠?"

이럴 때보면 엄마는 푼수다. 아무리 내게 관심을 보였기로 상대의 못난이 개를 칭찬하다니. 녀석은 주제넘게도 날 빤히 쳐다본다. 이렇게 헤픈 엄마 때문에 같잖은 개 따위들이 날 무시하는 거다.

"영웅아, 엄마가 뭐 가져왔게?"

공원 잔디밭 한복판에다 날 내려놓고 엄마가 호주머니에서 뭔가를 꺼낸다. 소고기 육포다. 푼수 짓을 한 엄마에게 화가 가시지 않아 새침을 떨려했지만 향긋하고 고소한 냄새를 도저히 거부할 수가 없다. 못생긴 데다 버릇없고 사람에 대한 예의마저 없는 개들 때문에 속을 끓이느라 미처 눈치채지 못했다. 폴짝 뛰어 엄마의 손에서 그걸 낚아챈다.

"아우, 이 번개!"

아작아작 씹어대는 날 보며 엄마가 귀여워 미치겠다는 표정으로 눈을 흘긴다. 뭔가가 그 순간 스친다. 육포 따위와는 절대로 비교할 수 없는 오묘하고 신비스런 향내다. 코끝이 축축해지며

온 몸의 세포가 한꺼번에 두두두 일어선다. 지금껏 단 한 번도 맡아본 적 없는 그윽한 향기가 전신을 짜르르 훑는다. 갇혀 있던 근육들이 뼈마디를 뚫고 뛰쳐나오려 아우성이다. 미친 듯이 뛴다. 매혹적인 향기의 끝자락을 찾아 마구 내달린다.

"영웅아, 어딜 그렇게 뛰어가는 거야?"

그토록 평범한 질문 따위는 내 발길을 막지 못한다. 열 걸음쯤 앞에 앙증맞은 빨강 리본으로 희고 우아한 머리털을 세워 묶은 귀여운 개가 보인다. 키 큰 아저씨와 일정한 거릴 유지하며 사뿐사뿐 달리고 있다. 설마 저 개한테서 향기가…? 이건 미친 짓이다. 사람인 내가 저 형편없는 개종자 따위에 넋을 놓다니…. 그런데도 난 발걸음을 멈출 수가 없다.

빨강 리본이 살포시 뒤돌아본다. 날리는 순백의 머리칼, 촉촉한 까만 눈망울, 기품 있게 벌름거리는 콧구멍, 차분하면서도 도도한 걸음걸이, 맵시 있게 실룩이는 엉덩이….

아! 짧은 탄성 이외에는 더 이상의 소리를 낼 수가 없다. 숨을 쉴 수도 없다. 세상 모든 아름다움을 그러모은다면, 그런다면 저토록 고귀하게 빛나는 한 마리 개를 빚어낼 수 있을까?

"요 녀석 봐라, 요 쪼꼬만 녀석이 겁도 없이…. 허헛"

빨강 리본이 주인의 너털웃음에 화답이라도 하듯 샐쭉 미소를 지어 보인다. 나랑 놀래? 미소엔 꼬드김의 빛이 그득하다. 그 애가 푸, 푸 숨을 내쉴 때마다 치자 꽃 향이 바람에 실려 온다. 머리가 빙빙 돈다. 당장이라도 그 애의 등에 올라타 보드라운 털을 마구 쓰다듬어 주고 싶다.

"죄송해요. 우리 영웅이가 종일 갇혀 있다 밖에 나오니 천방지축이 되어서 말이죠."

"사과하실 거 없으세요. 요즘 우리 향단이가 암내를 피운답니다."

"어머, 망칙해라! 욘석, 아빠한테 일러 줄 거야. 요 숏다리로 뭘 어째 보겠다고 나대, 나대길?"

전에 없이 상기된 얼굴로 엄마가 내 목걸이를 잡아챈다. 빨강 리본을 향해 내달리려던 발바닥이 허공으로 뜬다. 엄마가 날 꽉 잡아 안는다. 돌덩이에 짓눌리기라도 한 듯 가슴이 답답하다. 엄마의 품에 꼭 갇히고 만다. 빨강 리본이 새침한 얼굴로 제 주인을 따라 종종거리며 떠나간다.

너라고 별 수 있겠니? 빨강 리본은 내 좌절된 호의에 몹시 실망한 눈치다.

아, 왜 난 하필 사람으로 태어났을까?

과거는 '힘'이 세다

김필남_ 문학평론가

1.

현재 우리는 속도경쟁체제 속에서 살고 있다. 이 속도는 과거를 지우고 오로지 미래를 위한 삶을 강요한다. 이는 근대의 시간 속에 개인의 일상이 없음을 의미하는 것과 같다. 시간은 개인의 활동을 포섭하고 강제하며 일상을 통제하고 있기 때문이다. 우리는 시간 속에 갇혀 있음을 인지하지 못하며, 시간이 우리를 구속하는 것을 알아채지 못한다. 그로 인해 우리는 소멸과 퇴락이 급격하게 이루어지는 현실에서 시간과 속도에 휘둘려 현재를 소비하고 빠르게 과거를 지운다. 이때 속도가 주는 압박에서 이탈해, 과거로 돌아갈 수 있게 하는 것이 바로 '소설'이 아닐까.

소설은 과거의 시간들을 천천히, 촘촘히 파악한 뒤 현재의 삶에 이르게끔 한다. 미래에 대한 이야기가 아니라 현재의 '나'를 말하기 위해서 '나'의 과거가 부정될 수 없음을 보여 주며, 이 가속화된 속도에 제동을 걸어 찬찬히 바라보게끔 한다. 소설은 근대의 시간 속에 있으면서도 시간에 구애받지 않고 시공간을 자유자재로 넘나든다. 그로 인해 개개인의 일상에 주목할 수 있으며 다양한 인간군상과 그들의 고통을 느낄 수 있다. 여기서 이진의 소설은 과거의 시간을 통해 현재 자신을 들여다보고 있어 흥미롭다. 소설 속 인물들은 평온한 일상을 살고 있는 것처럼 보인다. 하지만 아무 일도 발생하지 않는, 무미건조한 시간을 보내고 있을 뿐 현재는 불안하기 짝이 없다.

이진은 2001년 등단 이후 두 권의 소설집을 출간했다. 이번 소설집에는 단편소설 5편과 엽편소설 4편이 실려 있다. 앞서 출간한 소설집 『창』과 『알레그로 마에스토소』와 비교해 스타일의 변화는 크지 않지만 지금 여기의 삶을 효과적으로 드러내고 있고 인물의 내면을 보다 깊이 있게 들여다본다는 점에서 의미 있는 소설들이다. 먼저 엽편소설의 경우 날마다 키가 줄어드는 남자, 매일 프러포즈하는 남자, 국민 화해 및 소통을 위해 화해의 장을 만들어 주는 부서까지(「그럴듯한 이야기는 있다?」, 「날마다 작아지는 사나이」, 「내 이름은 영웅이다」, 「쏘리 플라자」) 묘하게 현실적인, 그럴듯한 이야기들로 묶여 있다. 이 짧은 이야기에는 현실에 대한 날카로운 풍자가 담겨 있으며 실소를 자아내는 익살이 담겨있어 누구나 순식간에 읽을 수 있을 것이다. 소설 읽기에 능숙하지 못한 독자들이라면 엽편소설을 먼저 읽기를 권한다.

엽편소설의 유쾌한 풍자와 달리 이진의 단편소설은 지루하게 읽힐지 모른다. 감정기복이 없는 인물들, 사건에 대한 불친절한 설명 등은 자극적이고 도발적인 소설들과 비교해 재미가 없기 때문이다. 그러나 그녀의 소설은 있음직한 이야기. 언젠가 한 번 들어봤음직한 우리의 삶과 닮아 있다. 여기서 소설이 무엇인지 물을 수 있을 것이다. 읽는 즉시 이미지가 떠오르는 소설 그러니까 2000년대 이후 작가들의 작품을 보면 '보여 주기'(이런 소설들의 경우, 소설이 영화화 되는 경우도 자주 볼 수 있다.) 위한 소설이 많았다. 그것은 이제 읽기가 아닌 보는 것(이미지의 서사)이 중요해졌음을 의미하는데, 그렇다면 이미지가 아닌 이야기의 본질에 충실한 소설의 미래는 어찌 될까? 이 질문 앞에서 이진의 소설은, 소설이 무엇인지 다시 사유하게끔 한다.

2.

이진의 소설 세계는 억지 정답을 요구하거나, 부조리한 현실을 비판하거나, 교훈적인 메시지를 전달하려 하지 않는다. 소설 속 화자들은 평온한 어느 날 느닷없이 떠오른 사건으로 일상이 뒤엉킨다. 중산층 가정집에 업둥이가 들어오거나(「꽁지를 위한 방법서설」), 몇십 년 전 사라진 아버지가 유골로 발견되었다는 소식을 듣거나(「다이아몬드 더스트」)… 그들은 충격적인 소식(사건) 앞에서 일정한 거리를 유지하며 과거의 기억과 마주하는 것처럼 보인다. 하지만 아버지의 유골을 보러 간 아들이 차에서 내리지 못하고, 업둥이가 어떻게 되는지 따위의 결말을 알 수 없는 상태로 '그저 둠'으로 이들 인물들이 사건을 이성적으로만 대하고 있지 않음을 알 수 있다. 즉 인물들은 자신의 과거를 부정하지도 회피하지도 않지만 사고(思考)가 정지하는 것이다.

'나'의 평온한 일상에 불쑥 떠오른 기억은 무엇을 의미할까. 애써 부정하려고 하는 것은 더 간절히 '기억'하려는 행위와 다르지 않다. 기억하기로서 소설쓰기가 가 닿는 곳은 이 세상에 상실되고 망각되는 것의 사라진 이름들을 불러내, 그들을 존재하게 만드는 데 있는 것은 아닐까. 「다이아몬드 더스트」의 '나'는 자신을 버린 아버지에 대해 무감각한 것처럼 보이지만, 형체도 알 수 없는 유골을 굳이 보러 가겠다는 이유는 짐작할 수 있지 않은가? 소외와 슬픔을 마주하는 것은 한없이 나약해지는 자신을 목도하는 것이다. 그러나 이진은 고통스럽고 무기력한 개인의 상태를 망각하게 하는 이 현대사회를 넌지시 비난하는 데까지 나아가고 있다.

이 지점에서 「꽁지를 위한 방법서설」은 이진 소설 세계를 압축적으로 보여 주고 있는 작품이라고 할 수 있다. 무미건조한 삶을 살고 있는 소설 속 '나'는 규칙과 정답, 양심에 대해 논하는 도덕 선생이다. 학생들의 상담을 맡고 있지만 그것은 진심어린 말이 아닌, 책 속에 쓰여 있는 의미 없는 충고일 뿐이다. 듣는 학생도 말하는 자신도 얼토당토않은 쓸모없는 말임을 너무나 잘 알고 있다.

그녀는 친부인권에 대하여, 수태되는 바로 그 순간부터 지니게 되는 인간으로서의 권리에 대하여 장광설을 늘어놓았다. 낙태수술을 권한 지 1분도 지나지 않아 인간 생명의 존엄성과 태아의 생멸권을 역설하고 있는 모순에 관해선 전혀 의식하지 않은 채로. (……)

"도덕 수업을 들으러 온 거 아니에요. 그러니 지금 제가 어떡해야 하는지 방법을 가르쳐 주세요."

호되게 뒤통수를 얻어맞은 느낌이었다. 그녀가 방법이라고 할 말한 걸 제시할 여력이 있긴 했을까? 밤늦은 시간에 그 애가 돈을 빌려 달라며 전활했던 걸로 보면 몇 가지의 선택 가능성에 대해 어떤 식으로든 말을 해 주었음에 분명했다. 중절과 출산의 차이에 대해, 뭘 선택하느냐에 따라 달라질 미래의 상황에 대해, 그리고 어떤 경우라도 보호자와의 충분한 협의가 필요하다는 식의 충고 따위….

아마 녀석은 제 담임에 의해 얼마 전 자퇴 처리가 되었을 것이다.

―「꽁지를 위한 방법서설」 중에서

그녀는 도덕적인 말을 늘어놓을 수는 있지만 정답을 알려 주지 않는다. 방법을 제시할 수는 있지만 그 어떤 도움의 손길도 내밀지 않는다. 그녀는 이미 답을 알고 있기 때문이다. 자신에게 상담을 받으러 온 학생의 유일한 보호자가 할머니 한 분이라는 사실. 가난한 이 아이가 곧 자퇴를 하게 될 거라는 사실을 말이다. 그녀가 아이에게 잔인한 현실을 깨우친다한들, 위로나 동정의 시선을 보낸다고 한들, 임신 전의 상태로 돌아갈 수 없기에 그 어떤 행동도 말도 하지 않는다. 그것이 그 어떤 선택보다 현명해 보이기까지 한다. 또한 돈 몇 푼 쥐어 준다고 끝날 문제라면 그렇게 하겠지만 그녀는 도덕과 법을 가르쳐야 하는 선생이 아니던가? 동일한 상황이 반복된다고 생각한다면 구구절절 옳은 성인의 말씀을 읊는 수밖에 도리가 없다.

그런데 그녀의 삶은 어떤가? 학생에게 중절과 출산, 인권에 대해 논의했던 그녀가 자신이 임신했음을 알고 바로 그 자리에서 결단을 내린다. "혼전임신이 알려져 도덕 교사로서의 명예가 실추되어선 안 된다는, 출산 휴가를 연년이 신청하는 뻔뻔한 아줌마 교사란 비난을 사고 싶지 않다"는 이유로 두 번의 낙태수술을 받았으며, 오늘 세 번째 낙태수술을 받았다. 도덕을 가르치는 그녀가 도덕을 어기는 것은 쉽다. 그러나 누가 그녀를 비난할 수 있을까? 우리 사회는 선과 악의 경계가 느슨해졌고, 옳고 그름의 잣대를 들이댈 수 있는 곳도 '학교' 외에는 없어 보인다.

낙태수술을 받고 집에 돌아온 그날, 그녀의 집에 업둥이가 들어온 것은 아이러니하다. 그녀는 업둥이를 두고 간 사람이 누구인지 알기 위해 경비실에 가서 CCTV 판독을 요청하지만 수위는 '절차상의 문제점을 들어 거부' 한다. '관리소장의 허가를 받지 않은 상태에서, 구체적인 피해 사실 입증이나 경찰관 입회도 없이 아무에게나 기록을 열람시켜 줄 수 없다는 것' 이다. 그녀는 자신이 '아무나가 아닌 정당한 권리를 가진 입주민' 이라고 주장하지만, 증명을 위해서는 서류가 필수라는 수위의 주장 앞에서 어떤 말도 하지 못하고 돌아온다. 그녀의 낙태는 불법적인 의료행위이다. 허나 '법' 이 늘 옳은 것인가? 자연유산 처리를 한 것으로 둔갑한 진료기록을 통해 그녀는 낙태수술이 아니라, 법적인 자연유산으로 처리된다. 절차와 법, 도덕이 얼마나 쉽게 무너지는지 알 수 있다.

3.

이진 소설에서 흥미 있는 부분은 이야기의 시작과 끝에 누군가 사라진다는 것이다. '사라지는 것' 그것은 이진 소설에서 그리 거창한 사건도 아니다. 「다이아몬드 더스트」에서 '나' 는 자신을 버리고 떠난 아버지가 몇십 년이 흘러 유골로 발견되었다는 소식을 듣는 데서부터 시작하는 소설이다. 아버지가 '나' 를 버린 그날, '나' 는 흥분과 설렘이 가득한 날이었다. 이제 곧 초등학생이 될 내게 아버지는 선물들을 안겼고 최신식 노래방에도 갔다.

온갖 노래를 다 부르고 조금 지겨워질 때 아버지가 말한다. "거기서 기다려." '나' 는 아버지가 돌아올 때까지 기다리고 또 기다렸지만 그는 돌아오지 않았다. '나' 는 그날 이후로 '노래방 주인아줌마, 그러니까 누나' 와 함께 살고 있다.

그리고 현재 '나' 는 서른을 앞둔 어른이 되었으며, 문화재 관련 회사에 취직했다. 우리는 그 정도의 사실만 알 수 있을 뿐 '나' 가 어떤 삶을 살았는지 짐작할 수 없다. 허나 '나' 의 삶이 아버지가 없었기에 풍요로웠을 거라는 사실은 짐작 가능하다. 소년일 때 그는 "거지라는 놀림"을 받았으며 "계집애들은 더럽다며 피하"던 아이였기 때문이다. 그러나 물질적으로는 풍요로웠지만 정신적으로는 외로웠던 '나' 는 군 입대 후 첫 휴가 때 "남자들만의 공간이 주던 독특한 허기짐"으로 사라진 아버지를 찾기 위해 실종신고를 냈다. 자신을 버린 아버지에 대한 갈증은 그가 아버지를 잊은 것이 아니라, 잊기 위해 애써 왔다는 것을 알 수 있다. 시간이 흘러 아버지란 단어에 무감각해질 때쯤 '나' 는 아버지가 유골로 발견되었다는 소식을 듣게 된다. '나' 는 아버지의 유골을 보러 가겠다고 경찰에게 말한다.

나를 키워 준 누나는 "지나간 옛날은 그저 묻어 두는 게 순리"라고 말했지만 묻어 둔 과거는 어느 순간 불쑥 일상으로 개입하기 마련이다. 군대를 갈 때, 졸업할 때, 취업했을 때. 행복할 때, 슬플 때, 불행할 때 그 잊고 싶은 기억은 느닷없이 떠올라 일상을 잠식한다. "당연했던 일상이 갑자기 신비로움으로 뒤덮이는 것이다. 그 순간 무심코 지나쳐 온 사소한 것들은 기적의 옷을 입"게 된다. 그에게 아버지의 죽음은 지금껏 자각하지 못했던 생소한 감정을 불러 온다. 당연한 것, 사소한 것, 그것이 주는 생활적인 감정을 '나'는 너무 오래 잊고 살았던 것이다.

「자선의 계절」에서는 아래층에 살던 젊은 여자가 사라진다. 층간 소음으로 인해 104호에 살고 있는 젊은 여자의 방문을 수시로 받게 되는 204호에 살고 있는 '나'. 104호 젊은 여자는 자신과 함께 살고 있는 노인의 부탁으로 '나'의 아이들이 방에서 뛰어 놀지 않기를 간곡히 부탁한다. 남자아이 둘을 키우는 '나'는 이사 오기 전에 살던 집에서도 자주 있던 일이라 아래층에 미안함을 느낀다. 그런데 이상한 점은 조용히 해 달라고 당당히 요구해도 될 여자의 태도가 주눅 들어 있다는 사실이다. 이후에도 층간소음의 고통을 호소하는 노인 때문에 젊은 여자는 수시로 '나'의 집에 찾아오게 되고 '나'는 여자에게 관심을 가지게 된다.

'나'는 여자를 알면 알수록 이해할 수 없다. 여자는 자신의 나이도 잘 알지 못하며, "누군가에게 맞는 듯 군데군데 붙어 있는 반창고, 딱지로 엉켜 붙은 핏줄기, 생채기의 흔적들. 하루 이틀 새에 만들어진 상처가 한둘이 아니"기 때문이다. '나'는 그녀를 돕고 싶지만 그녀는 좀체 입을 열지 않는다. 그러던 어느 날 여자는 나에게 돈 몇만 원을 빌리고 사라진다. '나'는 사라진 여자에 대한 호기심이 일지만, 마땅히 물을 곳도 없다. 아파트 주민들 사이에 그녀의 행실이 나쁘다는 소문만 무성하다. '나'는 사라진 여자가 104호에서 부당한 대우를 받고 살지 않나 걱정했고, 돈을 더 많이 주지 못해 마음을 썼다.

> 모두들 밤사이에 무슨 일이 일어났는지 훤하게 아는 모양새다. 그 애가 모자란 것 같아도 여간내기가 아니라며 불쌍해 보인다고 함부로 도와주면 안 된다고, 제 부모도 버린 아일 거두어 기른 공로로 봐선 교육적 차원에서 혼 좀 낸 걸 가지고 학대니 뭐니 떠들어 우리 아파트 명예를 더럽힐 필욘 없다고, 거동 불편한 노인네에게 그 엘 붙여 놓은 자식들의 효심을 우습게 봤다간 큰코다친다고, 그동안 내게 왜 한마디도 해 주지 않았는지 궁금할 지경으로 말들을 쏟아 낸다. 그들의 충고를 듣고 있자니 그동안의 내 노심초사가 한심한 탐정놀이로, 밤잠을 설치게 했던 그 애의 애잔한 뒷모습은 맥락 없이 눈물을 쥐어짜는 삼류 드라마의 마지막 장면으로 전락한다. 그럼에도 뭔지 모를 후회 같은 게 종종거리며 뒤따라온다. 그 애한테 내 전화번호라도 가르쳐 줄 걸, 털목도리라도 둘러 주고 굴러다니는 벙어리장갑이라도 껴 줄 걸 그랬다 싶은.
>
> –「자선의 계절」

'나'는 사라진 여자에게 무언가 도움을 주고자 의지를 보였지만 사라진 여자를 위해 아무것도 하지 못했다. 그리고 아파트 주민들이 그러했던 것처럼 그녀도 여자를 잊을 것이다. 그런데

'나'는 사라진 여자를 위해 무엇을 할 수 있었을까? 관심을 가질 수는 있지만 그 관심을 지속시키기란 어렵다. 실제 문제를 해결하고자 한다면 우리는 사라진 그녀의 생활(일상)에 개입해야 한다. '개입'이란 나의 생활이 사라짐을 의미한다. 「꽁지를 위한 방법서설」의 도덕 선생이 임신한 여학생에게 낙태수술을 종용하지 못했던 것도 너무 깊게 학생의 일상에 개입하지 않기 위해서였던 것이다. 자신의 삶에 천착하는 인간은 이 험난한 세상을 어떻게 잘 살아갈 것인가를 걱정하지만, 고통과 억압의 문제를 고민하는 인간은 사고나 경험의 확장, 나아가 공동체의 삶을 고민한다. 물론 이진의 소설은 함께하는 연대까지 나아가지 못하지만 이 비윤리적이고 비합리적인 삶을 넌지시 비판하고 있다. 수많은 '나'들을 통해 무언가를 해 보려고 하지만 아무것도 할 수 없는, '우리'들의 어찌할 수 없는 삶을 그리고 있기 때문이다. 행동하지 않는다고 이를 비판할 수만은 없는 노릇이다.

「여전히, 거기」에서도 열여덟 살 소년인 나의 첫사랑 상대인 명이 누나가 사라진다. 누나는 할아버지의 아이를 임신하고, 엄마는 누나를 강제로 병원에 데려가 낙태수술을 시킨다. 누나는 원지교 아래 수심 깊은 급류에 몸을 던진다. 그녀의 죽음을 확인한 사람은 '나'뿐이다. '누나가 물에 빠졌다'는 말을 믿어 주는 사람은 없다. 아니 누나가 죽었는지 살았는지 아무도 관심이 없다. 누나를 좋아했던 '나'밖에는. 그 사건 이후 시간이 흘러 '나'는 결혼을 하고 누나와 할아버지가 살았던 그 집을 팔아야 한다는 아내의 성화로 인해 누나를 떠올린다. 이 소설은 언젠가 한 번쯤 듣거나 보았음직한 상투적인 이야기다. 이 상투적인 이야기를 이진은 이제 막 사춘기에 접어든 소년의 시선을 통해 표현하고 있어 흥미롭다. 다시 말해 막장 드라마 같은 할아버지와 명이누나의 이야기를 소년이 들려줌으로써 "손녀딸 같은 어린 기집앨 건드린" 추잡스런 이야기에서 풋사랑 이야기가 된다. '나'는 차마 누나가 '풍덩' 물에 빠져 사라졌음을 입 밖으로 표현하지 못해 죄책감을 안고 있으면서 말이다. 누나에 대한 연민과 죄책감, 할아버시와 명이 누나의 말 못할 사랑 등이 복합적으로 표현된 「여전히, 거기」의 '나'는 여전히, 명이 누나가 사라진 그때, 거기에 머물러 있는 남자로 보인다.

「자음과 모음」 또한 한 남자가 사라지고 이야기가 시작된다. 그런데 이 소설의 화자인 '나'(준)는 이진 소설 속 인물들과는 다르다. 그녀의 어머니는 살해당했고, 어머니의 죽음에 그 누구도 도움을 주지 않았다는 데서 오는 상처를 안고 살고 있다. 앞선 인물들이 자신의 트라우마가 무엇인지 잘 모르고 있다가 느닷없이 과거의 그날을 떠올렸다면, '준'은 자신의 상처가 무엇이며 분노와 증오의 대상도 정확히 알고 있는 것이다.

> 열일곱 살의 그날 이후 어쩌면 내게 천성으로 굳어 버린 몇 가지 행동양식이 불합리하다는 걸 모르는 건 아니었다. 범인은 한국인이었고 그 필리핀 여자는 동정 받아 마땅한 피해자

일 따름이었으니, 외국인을 향한 나의 신경증적인 방어태세는 사실 전도된 현상임에 분명했다.

–「자음과 모음」

외국인 노동자들에게 한글을 가르치는 '준'은 외국인 노동자의 인권이나 그들과 교류할 생각 따위는 없다. 그녀는 단지 한국어 교사지 상담사나 인권운동가가 아니라고 말한다.「꽁지를 위한 방법서설」의 '나'처럼 '준'도 일상을 살아가는 것만으로 벅차 보인다. 그러던 어느 날 '준'의 집에 외국인 노동자 '엘비스'가 찾아온다. 무슨 일 때문에 왔는지 대답을 않던 엘비스는 급작스럽게 '준'에게 키스와 애무를 퍼붓고 사라진다. 이후 그녀는 엘비스가 누구인지 그가 어디로 떠났는지 궁금해한다. 그런데 '엘비스'를 알아 갈수록 그녀는 엄마가 살해당한 그날의 환영을 본다.

엄마의 장례식 이후 변화된 '준'의 인생. 타인의 동정 어린 시선. 그럴 때마다 그녀는 자음을 빼고 모음으로만 발음한다. "아 으아아" 이젠 모든 일이 끝났음을 확인하는 주문이다. 고통도 끔찍한 현실도 모두 잊는 자신만의 주문이다. 엄마의 핏자국이 씻겨 내려가는 걸 차마 보지 못하고 미친 듯 버둥거리던 그날처럼 그녀는 마음속 주문을 왼다. "아 으아아!" 주문을 외면 속이 후련할지 모르지만 그것은 한순간일 뿐이다. 기억(트라우마)은 또 불쑥 튀어나와 그녀의 삶을 혼란스럽게 할 것이다. 그때마다 그녀는 맥주 한 캔 마시고 또 주문을 외울 것이다. 그렇게 버텨 내는 것이 '일상' 이 아닌가.

4.

> 추억이란 어쩌면 유폐, 자발적인 감금상태에 머무는 기억들인지 모른다. 소멸을 거부한 대가로 자유를 잃은, 하여 은유의 베일을 쓰고 꿈길을 배회하는 것들의 이름…. 현재를 뒤흔들 어떠한 가능성도 지니지 못한 것들이 불러일으키는 우울감은 쓸쓸하고도 장엄하다.
>
> —「여전히, 거기」

'나' 는 자신의 기억 속에 봉합되어 있던 사라진 사람을 기억해 낸다. 그런데 사라진 사람을 기억한다는 것은 나의 삶을 반추하는 것과 다르지 않다. 현재가 평온하다고 믿는 것이야말로 어리석은 일임을 깨닫게 하는 것이다. 그럼에도 어쩔 수 없이 또 아무렇지 않다는 듯 살아가는 게 또 우리의 삶임을 확인시킨다. 소설가 이진은 사라진(잊힌) 자들에 대한 애도나, 애도의 불가능성, 그리고 기억과 망각에 대해 말하지 않는다. 일상을 사는 우리가 그것에 매몰되어 있지 않음을 확인시킨다. 지금 여기의 삶은 인간의 정신과 육체를 쉼 없이 달리도록 한다. 그로 인해 개인들은 잊고 살았던 그것을 기억하고 싶지만 쉬운 일이 아니며, 어떤 행동을 하려 해도 무엇을 어떻게 해야 할지 알지 못하는 사고의 정지를 경험한다. 이제, 과거는 사라지고 미래만 남는다. 그들의 삶은 지루해 보일 지경이다. 이때 이진의 소설 속 인물들은 느닷없이 떠오른 과거 기억과 마주한다. 이 기억은 곧 소멸될 힘이 없는 기억이다. 하지만 이 기억이야말로 미래를 변화시킬 수 있는 정치적 행위라는 것을 주지해야 할 것이다.

리처드 세넷은 신자유주의시대가 이야기를 없애는 시대라고 했다. 이야기를 없애는 사회 즉, 이야기를 들어주지 않는 사회가 바로 지금 여기이다. 이런 사회에서 자신의 과거를 기억한다는 것, 이야기한다는 것은 의미 있다. 급격하게 변해 가는 속도경쟁 체제 속에서 자신의 이야기를 하고 살기 버겁다. 자본주의 사회는 과거를 잊고 내 자신을 잊고 미래를 위해서만 살아가도록 강요하고 있기 때문이다. 개인의 과거란 의미 없음을 주장하는 것이다. 하지만 이진의 작품들을 통해 견뎌 내는 것, 앞으로 나아가는 것만이 정답이 아님을 알게 한다. 나의 이야기를 기억할 때, 비로소 우리는 이 사회가 주는 압박감에서 이탈할 수 있지 않을까. 내가 누구인지 알 수 있는 계기가 되지 않을까. 『꽁지를 위한 방법서설』을 천천히 읽으며, 소설 읽기가 무엇인지 기억해 내길 바란다.

이번엔 지난 두 번의 작품집과 다르게 만들고 싶었다.

이런저런 이유로 요청되는 200자 원고지 80매 내외라는 단편소설의 분량 제한에, 오로지 활자로만 채워진 다소 딱딱한 편집 형태에, 약간의 변화를 주어보면 어떨까 하는 생각이 들어서다.

소설 쓰기가 기성복을 지어내는 일도 아닌데 일정 규격에 맞춰 분량을 조절해야 한다는 게 가끔 재미없게 느껴졌다.

소설이 활자 인쇄를 통한 시각예술의 일종이라면 눈을 조금쯤 즐겁게 해 주어도 괜찮지 않을까 싶은 생각도 더러 들곤 했다.

해서 평균적인 분량을 지킨 6편의 단편에다 그보다 훨씬 짧은 손바닥(掌篇)소설 4편을 더하여 교차로 편집하면서 슬쩍 그림도 한 컷씩 끼워 넣어 보았다.

손바닥소설이라 하면 한 손바닥 안에 들어올 정도로 분량이 작다거나, 손바닥 위에 올려놓고 한 번에 읽어 낼 만큼 짧다는 뜻에서 붙여진 이름일 것이다. 더러는 엽편(葉篇)소설이라고도 하는데, 크기나 규모가 나뭇잎에 견줄 만하다는 뜻이리라. 그만큼 가볍고 편한 마음으로 접근할 수 있다는 의미도 포함하고 있을 터다.

최근 어떤 문학잡지에서 '스마트소설'이라는 새로운 장르를 만들어 작품 모집도 하고 또 문학상도 시상하는 걸 보았다. 화면에 익숙한 전자 문자 시대의 젊은이들을 위한 새로운 문학적 시도일 텐데, 스마트폰으로 잠깐 사이에 읽을 수 있는 짧은 소설이란 측면에선 그 뿌리가 전통적인 손바닥소설에 맞닿아 있음을 알 수 있다. 게다가 손바닥을 벗어난 스마트폰을 생각할 순 없잖은가 말이다.

숨은 그림처럼 단편 사이에 끼어든 몇 편의 손바닥소설이 속도감을 중시하는 젊은 독자들에게 글 읽는 맛을 안겨 주어 더 긴 글에 대한 도전으로 이어지길 바라는 마음이다.

아마 몇 컷의 그림에 담긴 속내 역시 크게 다르진 않을 것이다.

영상물의 홍수 속에서 태어나 당연한 권리로 영상을 즐기며 자라난 젊은이들에게 기껏 몇 점의 삽화가 얼마나 그리 눈길을 사로잡을까마는…….

어쨌거나 이번 작품집은 일종의 모험이다. 두 가지 다른 형식의 작품을 섞어 정해진 틀을 살짝 빗겨난 데다, 영상의 간섭 없이 사색과 통찰의 시간을 누리는 동안 상상력과 창조력을 확장해 보라는 소설의 전통적인 충고에서도 한 발짝 비켜섰으니 말이다.

하여 작품 수는 많아졌으나 책의 두께나 중량감은 물론 분위기마저 다소 가벼워진 듯하다.

그래도 좋다.

그래서 좋다.

부끄러운 줄도 모르고 제법 매력적이지 않냐고 묻고 싶어진다. '고슴도치도 제 새끼는 예쁘다'는 속담이 이런 우매함을 깨우쳐 주려고 여전히 회자되는 까닭이리라.

모쪼록 즐겨 주시길…!

예쁘게 만드느라 수고하신 문학들 출판사와
이 책이 나올 수 있도록 후원해 주신 광주문화재단과
아낌없이 응원해 주신 스승님, 멋진 문우들, 사랑스런 가족들
모든 분께 감사드리며

삼가 인사드립니다.

꽁지를 위한 방법서설 이진 소설집

초판1쇄 찍은 날 | 2015년 12월 10일
초판1쇄 펴낸 날 | 2015년 12월 15일

지은이 | 이 진
펴낸이 | 송광룡
펴낸곳 | 문학들
등록 | 2005년 8월 24일 제2005 1-2호
주소 | 61489 광주광역시 동구 천변우로 487(학동) 2층
전화 | 062-651-6968
팩스 | 062-651-9690
전자우편 | munhakdle@hanmail.net
값 12,000원

ISBN 979-11-86530-17-7 03810

· 이 책은 한국문화예술위원회, 광주광역시, 광주문화재단의
문예진흥기금 일부를 지원 받아 발간되었습니다.